# 지옥 탈출,
# 천국 소원

## - 프레이 작가가 본 지옥과 천국 모습

# 지옥 탈출, 천국 소원

**- 프레이 작가가 본 지옥과 천국 모습**

**발　행** | 2024년 7월 29일
**저　자** | 프레이
**펴낸이** | 한건희

**펴낸곳** | 주식회사 부크크
**출판사등록** | 2014.07.15.(제2014-16호)
**주　소** | 서울특별시 금천구 가산디지털1로 119 SK트윈타워 A동 305호
**전　화** | 1670-8316
**이메일** | info@bookk.co.kr

ISBN | 979-11-410-9794-3

www.bookk.co.kr
ⓒ 유경모 2024
본 책은 저작자의 지적 재산으로서 무단 전재와 복제를 금합니다.

# 지옥 탈출,
# 천국 소원

프레이 지음

● 어둠에서도 꽃은 핀다

# 대표 인사말

안녕하세요. 프레이 작가입니다. 저는 지금 11번째 책이자 9~10번째 도서의 합본인 도서의 대표 인사말을 전하고 있습니다.

9번째 도서와 10번째 도서를 집필하는 시간적, 물리적 환경이 많이 변하였기 때문에 오히려 저는 두 도서의 환경을 구분 지어서 말씀드릴 수 있습니다.
9번째 도서에서는 주로 아픈 증상을 기반으로 지옥문이 열리고 그 지옥에서 탈출한다는 설정으로 글을 써 내려 갔습니다.

그러나 10번째 책에서는 시간이 흐르고 비로소 약간의 안정을 이루며 작가로서의 삶에 더 온전히 집중할 수 있게 되었던 일들이나 신앙적 내용을 가지고 천국문이 열리고 그 천국에서의 생활을 한다는 설정으로 책을 쓰게 됐습니다.

이 책을 보는 분들이 실제로 제가 지옥과 천국을 가지 않았다는 말을 하실 수 있겠지만, 저는 제가 아픈 것을 계기로 지옥을 맛보고, 10여년의 노력 끝에 안정된 생활을 하게 된 모든 일화를 빠짐없이 기록하려 노력하였습니다.

사실 9번째 책은 저의 경험이 많이 들어간 에세이이며, 10번째 책은 기독교 신앙을 중립적인 관점에서 바라보는 심도 있는 고찰과 기독교라는 종교에 대한 긍정적인 시선을 약간은 의도하며 집필했다는 것을 미리 말씀 드리고 싶습니다.

자, 그러면 이제 그만 긴 인사말을 마치고 독서를 시작하실 수 있게 배려하면서 말을 줄이겠습니다.

2024.06.19.(수) 프레이 작가 드림

# 조현병과
# 함께한
# 지옥 탈출

# 인사말

안녕하세요. 작가 프레이입니다. 저는 조현병 관련 서적과 일반 에세이, 기독교 에세이 등을 집필하고 있는 현직 작가입니다. 이번 책은 조현병에 대한 이야기도 들어가긴 하지만, 조현병의 증상이나 아팠던 상황 자체보다 조현병에서 벗어나기 위한 저의 몸부림과 그 노력들, 그리고 증상으로부터 억압받는 순간에서 점차 자유로워지는 순간까지 담아내려고 노력할 것입니다. 저의 책들은 조현병 서적이 많은데 그 이유는 제가 조현병 환우이기 때문입니다. 그러나 저는 그 점을 오히려 저의 강점으로 보고 '조현병 환우 작가'라는 타이틀로 많이 홍보를 하기도 했습니다. 하지만 조현병에 대한 인식이 안좋기도 하고 일반 작가로서 다양한 작품을 만들어 보고 싶다는 열망은 그 누구에게도 뒤지지 않는 현직 작가로서 조금은 진보한 형태의 책을 내고 싶다는 욕심이 생기기 시작했습니다. 이 책은 그런 저의 성장통과 같은 책이 될 것 같습니다. 이 책은 기독교인이 보더라도 이해할 수 있는 책이 될 것 같고, 반대로 일반인이 보시더라도 무리 없이 보실 수 있는 책이 될 것 같습니다. 조현병 이야기는 최소한으로 하려고 하지만, 제가 9년이라는 시간동안 조현병에서 자유롭지 않았다는 사실은 변하지 않기에 조현병

이야기도 들어있습니다.
이 책은 조현병이 발병하기 전의 상황, 발병하는 순간과 과정 그리고 회복기를 담고 있는 책입니다. 조현병이 발병되기 전의 상황을 지옥문의 입구라고 표현했고, 발병되는 순간을 지옥문이 열린 것으로 표현했고 조현병이 회복하는 과정을 지옥에서 탈출하는 것으로 표현하였습니다.
저의 지옥 탈출기가 이제 시작하려고 합니다.
저와 함께 지옥에서 탈출하는 사람의 이야기를 들어보시는 것은 어떨까요?
기독교인이 보신다면 하나님이 주시는 시련(연단)으로 볼 수 있지만, 일반인이 보신다면 그냥 고난으로 보실 수도 있을 것 같습니다. 자세한 사항은 이제 이 책을 보시면서 느끼실 수 있을 겁니다. 너무 긴 작가의 말은 싫어하기에 이제 본문으로 들어가 제대로 독서를 하실 수 있게 배려하면서 인사말을 마칩니다.

2023.07.03. 오후 3시37분 프레이 작가 드림

# Part 1 - 지옥의 입구에서

지옥이라는 곳은 어떤 곳일까? 한 번도 가보지 못한 그곳에는 어떤 것들이 있고 무슨 일이 일어나고 있을까? 나는 태어나 모태신앙으로 자라면서 기독교를 경험했고 나는 지옥이라면 나와 거리가 먼 것으로 생각했다. 그러나 그것은 나의 오산이었다. 지옥문이 열리기 전, 지옥의 입구에서 벌어지는 일을 이야기한다.

# 1. 교회에 다니면 지옥 따윈 가지 않을 줄 알았다

나는 아까도 말했듯이 모태신앙 크리스찬이다. 기독교라는 종교를 가지고 태어난 나는 외가는 3대째 기독교 집안이었고, 친가는 4대째 기독교로 할아버지 중에는 목사님도 있다.

나는 교회에 다니면 지옥 따윈 가지 않을 줄 알았다.

그러나 그 모든 일들은 교회에 다녀도 일어날 수 있다는 충격과 공포로 나에게 다가왔다. 나는 열심히 살았을 뿐이었는데 나에게 왜 이런 시련을 주시는 걸까? 지옥의 모습은 너무나 가혹하고 참혹한 것이어서 이 세상에는 지옥이 펼쳐지지 않을 것 같았다. 그러나 나는 지옥을 경험했으며 탈출에 가까스로 성공을 하였다. 나처럼 지옥을 경험한 사람은 많지만 나처럼 책을 쓰며 그 과정을 온전히 기록한 사람은 드물 것이다. 나는 이 책이 나처럼 교회에 다니면 지옥에 가지 않을 것이라는 맹목적인 믿음을 지닌 모든 기독교인들에게 경종이 되기를 바래본다. 그리고 지옥에서의 고난은 이 현실에 얼마든지 존재할 수 있는 것임을 나는 이제 알고 있다.

나는 모태신앙 크리스찬이라 지옥에 갈 일이 없다고 생각한다면 그것은 약간 오산일 수 있다. 내가 지금부터 이야기하는 것들을 잘 읽고 이 세계에 존재하는 지옥이라는 현실을 비로소 보기를 바라며 글을 쓴다.

## 2. 성경책 따윈 안 보면 그만인 줄 알았다

나는 성경책 따윈 읽지 않았다. 그저 필요한 구절이 있으면 그것만 발췌해서 내가 입맛에 맞게 쓰면 될 뿐이었다. 내가 크리스찬이며 모태신앙이라는 사실에도 나는 성경을 1회 통독(완독)하는 것을 하지 않았다. 나는 말씀이 없으면 어떻게 되는지, 말씀으로 얼마나 많은 역사가 일어나는지, 말씀을 붙잡지 않으면 어떻게 되는지 등을 전혀 몰랐다.
나는 성경을 읽지 않았다. 성경은 내 방 한구석에 어딘가에 처박아두어도 되는 구시대의 유물로 취급하고는 했다. 성격 구절에 있는 메시지나 말씀들이 좋다는 생각은 나도 한다. 하지만 억지로 읽을 필요는 없지 않을까? 아무리 크리스찬이라고 한들, 아무리 교회를 다닌다 한들, 성격책을 읽는 것은 개인의 자유가 아닐까? 그래서 나는 성격책을 보지 않는다. 내가 필요한 구절이나 좋아하는 시편 정도만 그때그때 활용하고 읽은 것은 20살 때부터였다.

## 3. 어른이 된 나는 담배를 피우기 시작했다

20살이 되자 나를 막아서는 것이 없었다. 나는 가장 먼저 담배를 입에 대기 시작했다. 담배는 생각보다 적응이 쉬웠다. 내 젊은 폐는 담배를 이겨낼 수 있을 만큼 건강했고, 중/고등학교 시절에 농구를 하루에 3시간 정도 하면서 단련된 나의 심폐 능력이 담배를 피워도 이상이 없다는 생각이 들도록 만들었다.
나는 담배를 처음 입에 댄 순간부터 골초였다. 나는 사람들과 어울리기 위해서도 담배를 피우기도 했지만, 그냥 습관적으로 담배에 의존하기 시작했다. 그러면서 나는 담배를 피우는 어른은 멋진 것이라는 잘못된 선입견까지 가진 채로 생활을 하고 있었다. 물론 기독교 집안인 우리집에서는 담배를 피우는 것을 극도로 싫어했다. 그러나 나는 고집이 있었다. 내가 20살이 넘어 성인이 된 지금 피우는 담배 한 개피가 뭐 얼마나 잘못인가 싶어 그 고집을 꺾지 않고 계속 피워댔다.
나는 사실 내가 담배를 피우게 되면 골초가 될 것이라는 건 어느 정도는 짐작하고 있었다. 왜냐하면 나는 중독에 약한 사람이었기 때문이다. 게임 같은 것을 해도 그 중독을 쉽게 이기지 못하는 나였기에 이렇게 담배를 피우는 것은 바로 중독이 되어 나의 지갑을 더 괴롭혔다.

나는 언제 어디서나 담배를 피웠고, 그것이 마치 나의 자유인 것 마냥 행동했다. 기독교인으로서의 양심 같은 건 어찌 되든 상관이 없었다. 나는 그 순간의 자유함이 더 좋았던 것이다. 실제로 담배를 피는 순간 만큼은 세상 만사를 잊을 수 있을 것이라 생각했고 이 책을 쓰는 지금 이 순간인 37살까지도 담배를 끊지 못하고 있다.

## 4. 대학생이 된 나는 술을 즐겨 먹었다

대학생이 된 나는 조금씩 방탕함에 찌들어갔다. 쉽게 말해 기독교에서 말하는 탕자처럼 행동했다. 나는 술을 가까이하기 시작했다. 술은 돈만 허락해 준다면 언제든 먹을 수 있는 자유의 상징과도 같았다. 나는 자유를 소중히 생각하는 사람이고 또 그 자유를 누리는 기쁨에 술 또한 덥석덥석 먹는 하루하루가 반복되었다.

나는 선천적으로 간이 좋지 않았다. B형간염이라는 지병이 있어서 간에서 알콜 해독 능력이 매우 떨어지기 때문에 술을 조금 많이 먹으면 토하기를 일쑤였다. 그러나 나는 계속 술을 먹었다. 정말 미련하게도 술을 먹고 토하면 또 입을 헹구고 술을 들이부었다. 마치 술을 못 먹어 안달 난 사람처럼 술을 먹었던 것이다. 술은 이성을 잃게 하고 판단력을 흐리게 만든다는 것을 알면서도 술을 많이 먹고 모임이나 친구들과의 만남에서 반드시 술과 함께하는 시간들이 쌓여갔다. 술자리에 있는 기분이 너무 좋았기 때문이다. 술자리에서는 누구나 솔직해지며 분위기가 화기애애 해진다. 그런 분위기를 너무 좋아한 나머지 술로 인한 사고도 많이 쳤다. 아마 그걸 수습한 부모님의 가슴에는 피멍이 들어야만 했을 것이다.

## 5. 우정이 최고의 가치라 여겼다

나는 20살의 그 당시에는 이 세상의 모든 가치 중에 '우정'이 가장 중요하고 좋고 대단한 가치라고 여겼다. 친구에 관련된 것이라면 무엇이든지 했고, 친구가 부탁하면 어떤 일이든 도맡았다. 자연스럽게 나의 의리가 입소문이 나서 평판을 좋게 타기 시작하면서 나의 친구들은 계속 많아져 갔다. 그리고 그러면 그럴수록 담배와 술자리가 빠지지 않고 이어졌다. 나는 담배를 피우는 친구를 더 좋아했던 것이 분명했다. 함께 담배를 피우러 가는 그 순간이 나에게는 우정의 산물이라고 생각한 모양이다. 나는 우정이 모든 것을 초월한 어떤 가치라고 생각했다. 돈을 빌리기도 하고 빌려주기도 하면서 나의 인맥은 조금씩 견고해져 갔다. 물론 큰돈을 빌려주거나 한 것은 아니지만 그 정도만 해도 나는 모든 것이 좋아 보였다. 내가 군대라는 곳을 경험하기 전까지는 모든 것이 순조로워 보였다.

## 6. 남자라면 군대는 전방으로 가야지

나는 남자다움에 대해 많이 들었고 또 아버지로부터 그렇게 배워온 터라 군대라는 곳도 역시 남자답게 해치우고(?) 오는 것이 좋다고 생각했다. 대신 나는 친한 친구 한 명과 함께 입대 날짜를 맞추어서 같이 지원하기로 한다. 우리는 같은 날 같은 시간에 입대를 신청하면서(3초 차이) 102보충대를 입소해서도 순번이 비슷할 정도로 비슷한 번호에 머물렀다. 그러나 나는 운전병에 지원하고 말았다. 당시 나는 20살이 되자마자 '남자는 면허는 따야 한다'라는 어머니의 말씀에 따라 면허를 취득했고, 그렇게 1종 보통 면허를 보유하고 있었다. 그래서 나는 운전병 지원을 하고 싶은 장정(사람)이 있냐는 말에 호쾌하게 신청서를 작성했다. 왜냐하면 어차피 이런 것들을 신청해도 될 리가 없다고 생각했기 때문이었다. 그러나 나는 나의 결정이 어떤 파국을 불러올지를 몰랐다. 운전병은 편하다는 말만 들었지 실제로 해 본 사람은 당시에는 아버지 뿐이었는데, 아버지도 6사단 운전병 출신이기 때문이었다. 어쨌든 나는 훈련소까지 같이 가는 쾌거를 이루며 그 친구와 자대를 갈 날을 기다렸는데 애석하게도 내가 신청한 운전병 서류가 통과되어 나는 후반기 교육을 받으러 운전병으로 착출된다는 말을 들어 버린 것이었다. 당연히 그 친구는 노발대발하며 '천하의 배신자'라는 말까지 나에게 하곤 했다.
여기까지가 내가 운전병으로 군대를 가게 된 계기라면 실제 생활에 대해서 이야기 해보려고 한다. 나는 야수교(야전수송교육대)를 가서 운전 교육을 받고 중형 군면허를 발급받게 된다. 군대에서는 쓰는 군면허가 따로 있기 때문에 그 면허를 발급받기 위해 교육을 한달 가량 더 하는 것이라고 보시면 된다.
내가 자대로 간 곳은 애석하게도 27사단 이기자 부대의 155mm 견인곡사포를 운용하는 견인포 부대였다. 그곳은 군면허가 대형인 사람이 가야 하는 곳인데(당시에는 몰랐지만) 중형면허를 가지고 있는 내가 그곳에 자대로 배치된 것이었다. 당연히 관리자들은 나를 곱게 보지 않았다. 중형면허를 가진 사람이 운전할 수 있는 차량은 부대에서 단 한 대, 지휘차 뿐이었으니 말이다. 나는 영문도 모른 채로 처음부터 엄청난 차별을 받아야 했다. "넌 여기 왜 왔냐?" 이런 말부터 부모님 욕까지 들으면서 나의 이등병 생활이 시작되었다. 나는 기상과 동시에 뛰고 관등성명을 대고 일하고 뛰고 관등성명을 대고 일하고 이 과정을 계속 반복하며 점차 진짜 군인이 되어갔다. 잠들기 전까지 이어지는 갈굼과 밤에 잠시 초병 근무를 나간 시간에도 계속되는 갈굼으로 나는 정신이 피폐해짐을 느꼈다. 나는 후임 복도 없었다. 일병 때까지도 후임이 들어오지 않아서 내가 상병이 되던 달에 그나마 나와는 8개월 차이가 나는 후임이 한 명 들어와 주었지만, 그 후임은 자대 배치 첫날에 '엄마가 보고 싶다'라며 모두가 보는 앞에서 목놓아 울어버리는 대참사를 일으키며 한순간에 관심병사가 되었다. 덕분에 나는 나를 향해 쏟아지는 갈굼과 그 후임에게 함께 쏟아지는 갈굼을 견디며 2배로 더 힘들어졌다. 내가 할 수 있는 것은 '죄송합니다!'라고 외치는 것과 모두가 잠든 밤에 작은 성경책 하나를 벗삼아 취침등 아래에서 희미하게 보이는 시편 구절을 읽으며 눈물을 흘리는 정도였다.
나는 사실 군대를 가기 전에는 호기롭게 이렇게 기도했다. '하나님 저는 군대에 가면 빡세게 하다가 뒤에 편할 수 있게 해주세요'
그런데 나는 정말 그런 일이 일어나리라고는 생각을 못했던 것이다.
나는 군대에서의 갈굼이 병장이 되던 달에 분대장을 달면서 어렴풋이 해결되는 것을 느꼈다. 보통의 경우 상병쯤이 되면 갈굼을 당하는 일은 잘 없지만, 나의 맞선임 2명은 유난히 나에게 관대하지 못했으며 그것이 내가 병장 때가 되고 본인들이 전역하게 되어 내가 왕고참이 될 때까지 갈굼을 계속 했다는 것이 조금 황당할 정도라고 하겠다.

군대에서 전역한 이후로 그 맞선임 중 훨씬 더 미웠던 사람을 만나 술을 얻어먹은 적이 있었다. 우연찮게 마주치게 됐는데 역시 사람은 자신의 행실을 똑바로 해야 한다는 말이 맞는 것 같다. 나를 보고 당당하지 못한 것 같았다. 나는 그냥 '술이나 한 번 얻어먹고 잊자'라는 마음으로 그 녀석의 지갑 사정을 힘들게 했다. (그러나 지금도 가끔 군대 꿈을 꾸면 그 녀석이 나오는 정도이니 얼마나 많은 갈굼을 받았는지는 여러분의 상상에 맡긴다)

나는 군대에서 어렵게 전역을 했다. 내가 왕고참이었던 순간 만큼은 군대에서도 나름 '이곳도 사람이 사는 곳이구나' 라는 생각을 한 것 같다. 왕고참이니 행동에 제약을 받는 일이 없었기 때문이다. 나는 내가 당한 갈굼을 오히려 친절과 따스함으로 바꾸어 후임을 사랑으로 돌보았다. 불합리한 것을 시키지 않고 따질만 한 일에만 화를 냈다. 그러자 후임들은 나를 진심으로 존경해 주었고 잘 따랐다. 그래서 나의 분대장 생활은 힘들지 않았다. 내가 전역하는 날 후임들은 나에게 편지를 한아름 선물해 준다. 나는 그 편지들을 한껏 받아 들고 멋지게 전역에 성공한다.

전역하는 날의 기분은 전역을 해 본 사람만 알 수 있다. 무엇이든지 해낼 수 있을 것 같은 기분과, 세상을 내가 혼자 다 씹어먹어 버릴 수 있을 것 같은 자신감이 몰려오기도 한다.
나도 예외는 아니었다. 나는 군대에서 받은 갈굼이 어떤 영향을 나에게 줄지는 모른 채로 기분 좋게 전역하고 대학교에 복학을 했다.

## 7. 난 성실하니까 성공할거야

나는 내가 가진 최고의 가치가 성실함인 것을 스스로 알고 있었다. 나는 어릴 적부터 학원에 한번 가더라도 열심히 수업을 들었던 기억이 있다. 당시 내가 몇 가지의 학원을 그만둘 때 학원의 원장 선생님들은 모두가 '이 성실한 아이가 조금 더 배우면 좋겠다'라는 말을 하며 말렸다고 한다.
성실함은 나의 특기이자 최대 장점이었다. 나는 어디를 가서도 성실하지 않아 혼이 난 적은 없었다. 하물며 아르바이트를 하는 곳에서도 나는 꽤 성실한 편이어서 인정을 많이 받고는 했다. 나는 이런 나의 성격이나 성품이 성공하는 데에 많은 영향을 줄 것이라고 생각했다.
나는 성공하고 싶었다. 어릴 적부터 가정 형편이 유복하지 않았던 나는 내가 크면 이 가난을 없애리라 생각하고 있었다. 나는 대학생이 되어도 성실하게 수업에 참여했다. 나는 졸지 않는 학생으로 유명했다. (물론 고등학교에서도 그랬지만) 나는 수업시간에 웬만하면 졸지 않고 아무리 졸리고 지루한 강의여도 끝까지 다 열심히 들었다. 그 결과 나는 교수 추천 장학금까지 거머쥐게 된다. 내가 장학금을 받기로 결정된 날 나는 자랑스럽게 아버지에게 장학금을 땄노라 이야기했다. 아버지는 당연히 뛸 듯이 기뻐했다. 나의 아버지는 인정에 약하신 분이라 결과물을 들고 와서 보여주어야만 인정을 하는 분이기 때문이다. 우리 아들이 대학교에서 장학금을 탔다는 말을 친척들에게 하며 너무나 행복해 보이셔서 나는 다른 말을 드릴 수 없었다. 내가 하고 싶은 말은 나의 타고난 성실함보다는 내가 노력을 그만큼 한 것이라는 이야기를 하고 싶었다.

어쨌든 나의 대학교 생활은 잘 흘러갔다. 1학년 시절에는 내 첫사랑이었던 그녀와 연애도 해보고 했지만, 군대에서 제대한 이후의 2학년부터는 본격적으로 취업을 걱정해야 했기에 공부에만 전념했다. 그렇다고 남들 다 하는 토익 같은 걸 한 것은 아니었고 그냥 주 전공과 교양 수업을 충실하게 듣고 학점관리를 열심히 한 정도라고 하겠다.

나는 그래도 내가 성공할 것이라고 믿었다. 나의 성실함은 언젠가 빛을 볼 것이라고 생각했다. 내가 사회를 너무 만만히 본 것이었을까? 나는 인턴쉽에도 참여를 하게 된다.

# 8. 인턴쉽따윈 어려울게 없지

인턴쉽은 생각보다 빨리 결정이 났다. 나는 서울의 모 보안솔루션 업체에서 인턴으로 지내게 되었다. 그러나 인턴은 생각보다 힘든 활동이었다. 일반 직원과 똑같이 출근하며 똑같이 밥을 먹고 일을 하지만, 급여는 터무니없을 정도로 적었고 또 일의 강도도 셌다.
나는 요령을 피울 줄 몰랐다. 시키면 시키는 대로 그냥 기계처럼 일을 하기 일쑤였다. 내가 전공한 개발쪽 일은 안 그래도 힘든 작업들이 많은데 요령을 피우지 않고 일을 하니 어느새 하루에 박카스를 3개씩 흡입하면서 일을 하고 있는 내 모습을 발견하게 된 것이다. 나는 군대에서 전역한 후부터 알 수 없는 패기로 충만한 사람이 되어갔는데, 그 회사에서도 마찬가지로 나는 패기를 좀 부렸다. 내가 인턴으로서 할 수 있는 일은 한정적이지만 그 안에서 내가 '성과'를 내보이리라 생각한 것이다. 나는 말 그대로 개발하는 기계처럼 일했다. 그러자 그토록 염원하던 성과가 나오기 시작했다.
내가 하는 업무에서 성과가 나오기 시작하자 회사의 관계자들은 나를 눈여겨보고 있었다. 그리고 기술이사님이 나에게 어떤 것을 물어보셨는데 그것은 내가 만들고자 하는 기술이 실현 가능성이 있는지를 물어보는 것이었다. 나는 그냥 솔직하게 실현 가능성이 70% 정도 되고 어떤 방식으로 구현할 것인지를 설명을 했는데, 그것이 잘 보여진 탓일까, 대표님이 나를 옥상으로 담배를 한 대 피자며 불러내는 일이 있었다.

나는 그 자리에서 계약직 제안을 받았다. 그러나 정말 어렵게 거절을 하였다. 그 이유는 정직원이 되면 5년 동안의 계약을 하게 되는데 처음 2년 동안은 대학원을 주말에 다니면서 학점을 따야 했고, 3년 동안은 그냥 계약직으로 일하는 조건이었다. 연봉 수준도 내가 생각한 것 보다는 좋지 않았다.

내가 그곳에서 일하지 않은 이유는 나를 소모품처럼 쓰는 것이 너무나 눈에 보였기 때문이다. 5년 동안 열심히 쓰다가 버릴 생각으로 나를 고용하고 나의 성실함을 사겠다는 말 아닌가?

나는 그 자리에서 정중하게 거절을 했다. 하지만 그때부터 나의 회사생활은 처참히 망가진다. 심지어 나와 밥을 같이 먹는 사람 조차 없었고, 같이 먹는 사람들도 대놓고 내가 하는 프로젝트의 성과를 비웃기 시작했다. 한마디로 사내 왕따가 된 것이다. 나는 당혹감과 참을 수 없는 분노를 느끼며 그곳에서 빨리 벗어나기를 바랬다. 나는 인턴쉽을 중단하고 만다. 핑계는 별로 없어서 그냥 '학업에 집중하기 위해서'라고 했었던 것 같다.

내가 처음으로 맛본 진짜 사회라는 곳은 그렇게 나에게 쓴맛을 안겨주었다. 그러나 나는 절망하지 않았다. 왜냐하면 아직 졸업도 하지 않은 상태였기 때문에 또 다른 미래가 나를 위해 존재할 것이라고 생각한 것이다.

## 9. 대학교를 졸업하면 모든게 해결될거야

대학교를 졸업할 무렵 나는 한 회사에 나의 지도교수님 추천으로 면접을 보게 된다. 서울에 있는 회사였는데 의료 소모품 등을 판매하는 회사였다. 나는 그 회사에 면접을 보면서 면접관들의 질문에 대답을 했다. 개발 쪽으로 들어와서 회사의 이것 저것을 하게 될텐데 할 수 있겠는가? 혼자서 개발을 다 할 만큼 실력이 있는가? 등등을 물어본 것 같다. 당연히 나는 취업에 목말라 있어서 할 수 있다고 이야기했다. 그리고 결과는... 합격!

나는 서울로 졸업과 동시에 취직이 되어 기쁜 마음으로 출근을 하였다. 당시 내가 사는 안산에서는 출근을 위해 전철 38정거장을 가야 했는데 나는 개의치 않았다. 어쨌든 처음으로 달아보는 정직원 생활에 나는 기뻐서 아침 5시에 일어나 짐을 챙기고 준비해서 8시 30분까지는 지각하지 않고 출근을 많이 했다.

나는 전산으로 분류되는 직원이었는데, 전산이라 함은 사내의 전산기기 등을 관리/감독 하는 것으로 알고 있다. 그런데 나에게 개발도 시키려고 하는 것이었다. 그것까지는 좋았지만 이미 내가 하고 있는 일은 생각보다 많았다. 우편물 수발(택배관리), 전화응대, 창고정리 등등이 있었고, 이걸 내가 다 할 수 있을까 생각이 들었지만 첫 회사부터 그렇다고 그만둘 노릇도 아니었기에 계속 어거지로 일을 하고 있었다. 개발은 쉽지 않았다. 하지만 갓 졸업한 나의 뇌가 계속 생각을 해준 덕분에 물류 관리 프로그램(소규모 ERP)를 개발하는데에는 부족함이 없었다. 다만 내가 개발한 프로그램은 인터넷을 기반으로 하는 것이 아닌 윈도우 프로그램을 기반으로 하는 것이었다. 나는 3개월을 미친듯이 개발하며 잡일까지 떠맡았다. 결과는 어땠을까? 나는 어느 날 지금까지 개발 한 것을 발표해달라는 대표님의 요청에 응해서 자료를 취합해서 발표를 하였다. 결과는 성공적이었다. 대표님이 박수를 치며 나에게 말했다. "경모씨 잘 만들었네. 그러면 지금 이걸 인터넷 기반으로 바꿔주게" 나는 망연자실해버린다. 나는 전문적인 개발을 배웠지만, 인터넷 기술을 많이 없었기 때문이다. 나는 일주일동안 이것 저것 핑계를 대며 쉬다가 그만 퇴사하고 만다.

## 10. 사회생활은 성실하면 최고지

그 후로 나는 이곳 저곳에 취업을 하려고 했지만 취업문은 그리 쉽게 열리지 않았다. 내가 입사한 곳은 죄다 소규모 기업일 뿐 아니라, 내가 토익 점수가 없는 것이 많이 발목을 잡아서 나는 큰 규모의 회사에 입사를 하기 힘들게 되었다. 토익이야 공부를 새로 하면 될 수 있지만, 이제는 경력이 문제였다. 인턴쉽과 첫 직장을 오래 다니지 못하고 퇴사한 나를 좋게 봐줄 인사담당자는 어디에도 없는 것 같았다.

나는 방황 끝에 포기하려는 찰나에 전화를 한 통 받았다.

사람인에 있는 내 이력서를 열람했고, 바로 면접을 보고 싶다는 전화였다. 나는 뛸 듯이 기뻐 어머니께 면접을 보라고 한 회사가 있다며 소리치고는 시흥의 한 회사에 도착했다. 하지만 그 회사도 나에게 어떤 시련을 줄지 나는 모르고 있었다.

회사는 컨테이너를 살짝 개조해서 억지로 사무실로 꾸며 놓은 책상 몇 개 뿐인 스타트업이었다. 정말이지 볼품이 없었다. 그러나 나는 이렇게 초창기인 회사에 기여하고 나의 공로를 인정받으면 시간이 흐를수록 나의 입지가 단단해져서 내가 좋은 대우를 받을 수 있을 것이라고 생각했다. 그리고 나를 마음에 들어 하는 대표님과 함께 일을 시작하게 되었다. 왜냐하면 대표님이 직접 면접에 나와 임하는 자세부터 말하는 솜씨나 확신에 가득 찬 표정 등이 인상적이었기 때문이다.
나는 서울에서 직장을 다닐 때와 비슷하게 출근을 했다. 집에서 여전히 5시 정도에 나와서 8시 30분까지는 직장에 버스를 3번 갈아타고 출근을 했고, 그 모습을 대표님은 아주 좋게 보시는 것 같았다. 나중에는 나의 출근을 걱정한 아버지가 중고로 아반떼 XD를 사주시기도 하였다.
그러나 나는 내 인생 첫차를 사는 그 순간부터 모든 것이 잘못되어 감을 강하게 느끼게 된다. 나는 앞서 언급했듯이 간이 좋지 않은 선천적 B형간염 보균자여서 피곤함을 많이 느끼는 타입인데, 내가 정시에 퇴근을 한다고 하면 남아있는 직원들은 아무 말 없다가도 '일찍가니까 좋냐'는 식으로 나를 꼽을 주는 것이었다. 그게 시작이 되어 이제는 밥도 같이 안먹는 사이가 되자 나는 '이곳에서도 나를 왕따를 시키는구나'라는 생각이 들었다. 나는 당시에 주말에도 여자친구가 있어서 출근을 잘 안 하기는 했지만, 근무시간에는 누구보다 성실히 잘하려고 노력했다. 주말에 일을 시키는 회사는 원래 드물다. 나는 아직도 내가 주말에 일을 하지 않은 것은 정당하다고 생각한다. 스타트업이라는 생태계를 잘 몰랐으니까 말이다.
나는 결국 직원 중에 한 명에게 이런 말까지 듣게 된다. "밥은 너 혼자 잘 쳐 드시라고요." 나는 격분했다. 자동차가 있었기 때문에 나는 다음날 새벽 4시에 일어나 5시까지 출근해서 내 짐을 모두 빼고 어떤 연락도 받지 않고 잠수를 탔다. 시간이 일주일쯤 흘렀을까? 대표님의 전화를 한번 못이기는 척 받았는데 애가 탄 대표님이 부산에서 나를 보자는 것이었다. 나는 그래서 대표님이 끊어주는 KTX 표를 가지고 부산에 가게 된다.
그러나 부산에 가서 나를 계속 일하게 하려는 대표님과 그만두려는 나의 실랑이가 이어지면서 낯선 곳에 방문한 사람의 미묘한 공포심과 불안함, 그리고 스트레스까지 겹쳐지며 나는 드디어 조현병의 초기증상이 발현되었다.
대표님과 그만두는 일로 실랑이를 하다가 찜질방에서 같이 잠들어서 몰래 새벽 4시에 일어나 다시 KTX 첫차를 타고 집에 오는 모든 과정이 내게 '대표가 나를 잡아서 해코지 할 것 같다'는 망상까지 생기게 만들었다.
당시 대표는 이런 말을 한 적이 있다. "내가 싸움 잘하는 친구 있는데 데려와도 되나?" 나는 그것이 무슨 부산에 있는 조폭이라는 생각이 들었던 것이다.

사실은 '이 대표는 조폭의 두목이고 나를 겁박해서 일을 시키려는 것이다'라는 생각이 들어간 것이다. 나는 필사적으로 도망 아닌 도망을 간 것이다.
첫차를 타고 집으로 오는 과정을 말로서 다 설명하기 힘들 정도다. 하지만 간략히 설명하려면 일단 공황장애에 망상이 더해진 정도로 설명해야겠다. 마주치는 모든 사람들이 대표의 수하들로 보이고 나는 아무 힘없는 사람으로 생각되어서 나는 내가 태어나서 가장 무서운 3시간을 경험했다. (KTX를 타고 부산에서 광명역까지는 3시간 정도가 걸린다)
벌벌 떨면서 그 와중에도 피곤해서 잠이 들었다가 다시 눈을 떠 현재 위치를 확인하는 행동의 반복으로 거의 탈진에 가깝도록 스트레스를 받은 상태로 나는 광명역에서 내리게 된다.
이후에 아버지에게 집까지 태워달라는 말을 전화로 하고서는 그 자리에서 담배를 한 갑(20개)을 태웠을 정도였다. 45분이 지나 구원자처럼 나타난 아버지에게 뒤에서 차들이 따라오니까 빨리 밟으라고 소리를 치며 나는 그렇게 집으로 겨우 들어갈 수 있었다.

# Part 2 - 지옥문이 열리다

사람들은 보통 지옥이라는 것이 현실에 있지 않다고 생각한다. 그러나 나는 지옥이라는 것을 간접적으로나마 경험하게 된다. 내가 직접 겪은 조현병에 대한 이야기는 나에게 지옥문이 열리는 과정이었다. 지옥은 멀리에 있다고 생각한 나에게 정말로 현실의 지옥문이 열린 과정을 소개한다.

# 1. 내가 아프다고?

나는 집에 무사히 돌아온 이후부터 조직폭력배의 두목과 그 수하들이 나를 추천 및 감시한다는 망상에 제대로 빠져 있었다. 내가 무엇을 해도 그들의 손아귀에서 벗어날 수 없다는 공포를 느끼며 나의 하루하루는 두려움의 연속으로 얼룩지고 있었다. 나는 차량에 달린 블랙박스에 켜지는 LED등을 보면서 나를 감시하기 위한 대표의 수하들이 설치한 몰래카메라라고 생각하기에 이르렀다.
나를 추적하는 것은 실제로 아무것도 없었지만 나는 추적망상에 휩싸인 채로 집안에 틀어박혀서 아무것도 하지 못하며 지냈다. 내가 길거리에 나가면 나를 험담(환청)하는 소리가 들려왔다. 나에게 인신 모독을 하는 발언들을 그냥 견딜 수 없어 시비가 붙기도 하였다. 당연히 그때는 내가 아픈 것을 몰랐기 때문이었다. 내가 환청이라는 것을 모르고 시비를 건 사람들마다 영문을 모르겠다는 듯이 행동하자 나는 오히려 더 독기가 올라 아무에게나 시비를 걸고 다녔다. 보다 못한 가족들이 나를 병원으로 인도하기까지 눈물 겨운 설득과 노력이 있었다. 나는 결정적으로 아버지의 설득에 병원에 가서 검사를 받기로 했다. 당시 아버지는 나를 설득하기 위해 “병원에서 검사를 받아서 아프지 않다고 나오면 다시는 병원에 데려가지 않겠다"라는 말을 한다.
나는 내가 아프지 않다고 생각했고 추적하는 무리들이 실제로 있다고 믿었기 때문에 병원에 가게 된다. 결과는 어땠을까? 안산 고대병원에서 3시간에 걸쳐 나온 진단은 '양극성장애'라는 병이었다. 쉽게 말해 조울증이었던 것이다.
그때까지만 해도 아버지는 견딜 수 있으셨나보다...
이후에 다른 병원(조현병 전문병원)에 찾아간 내가 '조현병'이라는 진단을 듣게 된 아버지는 스트레스로 길에서 쓰러지셨다고 한다.
나는 그래서 약을 먹게 된다.
급성기였던 나에게 병원에서는 매우 강한 조현병 약물을 처방한다. 약은 매우 강한 성분이 들어있었다. 태어나 많은 약을 먹어 봤지만 그토록 강한 약물은 먹어 보지 못했다. 나는 밥을 먹으면 약을 먹고 잠이 들었다가 다시 일어나서 밥을 먹고 약을 먹고 자는 생활을 3개월 정도 했던 것 같다.
그런데 이게 웬일인가? 그 당시 여자친구와 집안에서만 만나던 내게 어느새 환청이 들리지 않는다는 것을 알아챈 것이다! 나는 기쁨의 포효를 하며 신이 나서 이곳 저곳을 돌아다니며 여자친구와 데이트를 하러 다녔다.

어차피 직장은 다니고 있질 않으니 여자친구가 사주는 음식과 커피를 먹으며 나름대로 생활을 하고 있었다. 그리고 얼마의 시간이 지났을까? 나는 이제 다시 취업전선에 뛰어들 용기가 나기 시작했다. 실제로 나의 증상은 매우 안정되어 있었고 내가 아프다는 것을 인지하기 힘들 정도로 회복되어 있었기 때문에 나는 평소처럼 패기 넘치게 입사 지원을 하기 시작했다.
시간이 흐르고 나는 한 곳에 면접을 보게 된다. 그곳은 '한국표준협회'라는 공기업이었다. 파견 계약직을 뽑는 최종면접에 들어간 나는 정말 눈물겨운 노력으로 면접에서 최종 합격하게 된다. 면접장에서 어떻게든 붙으려는 나의 속내를 일찍이 알아보셨을 당시의 면접관들이 나를 좋게 평가하신 모양이었다.
그 후로 다시 나의 직장생활이 시작되었다.

## 2. 직장생활 이정도면 잘하지 않았나

나는 직장에서 굉장히 열심히 일했다. 내가 일한 내용은 표준협회에서 진행하는 강의를 하러 오시는 강사님들에게 편의를 제공하고 의전과 비슷한 활동을 하였고, 강의의 진행을 맡아 마이크를 잡아야 했으며 교육생들에게 강의 정보와 행정 처리 등을 해야 했다. 그리고 HRD-Net이라는 정부 사이트에서 교육생들을 등록/수정/관리하는 업무도 도맡아 하고 있었다. 나는 굉장히 열성적으로 일을 했다. 표준협회는 바쁠 땐 매우 바빴고 시즌이 있어서 안 바쁠 때에는 너무 한가한 것이 특징이었는데 나는 한가한 날 조차 없는 업무를 만들어 했던 것으로 유명했다. 회식 자리에서도 술을 빼지 않고 잘 먹는 사람으로 조금 인지도가 있었고 그 모습을 좋게 지켜본 경기지역 본부장님이 나를 많이 챙겨주시기도 했다. 나는 사회에서 인정받는 나의 모습이 너무 대견스럽고 좋았다.
하지만 조현병의 공포는 내가 좋아졌다고 생각한 그 시점에서 끝난 것이 아니었다. 마음속 깊은 곳에 있는 공포감이 또다시 조금씩 밖으로 튀어나오더니 급기야 나의 온 정신을 지배하기 시작했다. 나는 열심히 일하던 여름의 어느 날 이런 말을 들었다.
"저 사람 배 너무 많이 나왔다~! 나는 저렇게 안되려면 운동해야지!"

이런 소리를 들으면 보통의 경우 화를 내거나 항의를 해야 하는데 나는 그것이 진짜 소리인지 내가 잘못 들은 것인지 몰라 화를 내기보다 그냥 속으로 판단하려 애를 썼다. 그리고 그게 시작이 되어 비로소 지옥문이 다시 열리기 시작했다. 그때부터 내가 듣는 모든 소리가 다 나에게 하는 소리로 들리기 시작한 것이다. 예를 들어 "우리 점심 뭐 먹을까?" 라는 아주 지극히 일반적인 소리에도 나는 나에게 하는 말로 들려 괴로움을 떨쳐낼 수 없었다.

그런 일이 있고 나서 일주일도 안되서 나는 내가 지옥에 다시 들어감을 인정할 수 밖에 없었다. 조현병의 막이 열린 것이다. 한번 경험을 해 본 나에게 조현병의 증상이 다시 열렸다는 것은 직장을 더 이상 다닐 수 없음을 의미했다.

나는 그 결심이 든 다음 날 바로 사표를 쓴다.

물론 표준협회에서는 이해할 수 없다는 반응이었다.

당시 안산사무소 소장님은 내가 너무 혼자 바빠서 쉬기를 원하니 일부러 핑계를 대는 것이라고 생각하신 모양이었다. 조현병은 겉으로 보기에는 아픈 것이 보이지 않으니 어쩌면 그렇게 말하는 것이 당연했다.

"경모씨 조금 쉬다가 월요일에 봅시다"

당시 목요일쯤 내가 퇴사 요청을 했는데 열심히 일하

느라 피곤할 것 같으니 쉬다가 다시 열심히 일하자는 소리 아닌가?
나는 일단 알겠다고 한 뒤에 생각에 잠겼다. 그러나 결정은 금방 났다. 어차피 그런 환청이 들리거나 증상이 있으면 일을 제대로 못 할 것이 분명해 보였기 때문이다. 나는 퇴사를 하러 월요일에 출근했어야 했는데 내가 출근한 것이 아니라 동생을 금요일에 회사로 보내서 사정을 설명하기에 이른다.
왜냐하면 이렇게 열심히 일하는 직원이 아프다는 것을(그것도 정신병이 있다는 것을) 직장에서 받아들이지 못했기 때문이다.
1년 계약직으로서 7개월을 일하고 내년 강의와 교육 일정을 내가 도맡아 짜보라는 좋은 평가와 함께 정규직 전환을 눈앞에 두고서 나는 결국 그 좋다던 공기업인 한국표준협회에서 퇴사하고 만다.

## 3. 난 병에 걸린게 아니야

나는 내가 아프다는 것을 퇴사 후에도 어렴풋이 느끼는 정도에서 그치고 있었다. 난 병에 걸린게 아니라 그냥 예민한 거라고 생각했다. 그래서 그런 환청들이 나를 괴롭히거나 망상에 사로잡혀도 내가 잘못한 것은 없으니까 사람들이 나를 괴롭히는 것이라고 생각했다. 나는 집에서 게임을 하기에도 벅찬 상황이 된다. 나는 그래도 내가 아프다는 것을 몰랐다. 내가 아픈 것을 인정하면 모든 것이 설명이 되는데 그것이 죽어도 싫었던 모양이다.
나는 점차 방안에서 혼자만의 생각을 하는 '히키코모리'형 인간이 되어 갔다.
한번 시작한 망상은 이제 나를 송두리째 집어 삼키고 있었다. 내가 하는 망상은 주로 조폭들이 나를 감시한다, 추적한다, 나에게 해코지를 한다는 것이었다. 나는 어찌 해야 될 지 몰라서 그냥 그 망상에 몸을 맡겨 버리게 된다.(일반적으로 조현병이 발현되면 망상에 다들 정신을 다 쏟는다)
그러다가 그때까지만 해도 나에게 남아있던 여자친구가 내가 퇴사를 하자 등을 돌려서 헤어지자고 말한 뒤로 나는 여자친구에게도 집착을 하기 시작했다.
나는 여자친구에게 하루에 30통이 넘는 메시지를 보

내놓고는 내 메시지가 차단당하자 전화를 해가며 괴롭히기 시작했다. 나는 당시 그 여자친구와 결혼까지를 생각했던 정도로 사랑하고 있었기 때문에 그 사랑이 변질 되어 집착이 되어 버렸다. 나는 계속 집요하게 연락을 하고 만나자는 의사를 밝히며 이대로는 우리 사이가 끝나서는 안 된다고 이야기했다.

그러다가 나는 어떤 망상에 휩싸이게 된다. 이제 조현병에 제대로 잠식당하면서 내가 보는 모든 것에는 메시지가 있다고 믿어 버린 것이었다. 나는 내가 보고 듣고 접하는 모든 매체와 기록들에 집착을 보이면서 혼자 그것을 해독하려고 애쓰고 있었다. 미친 듯이 공책에 알 수 없는 기호들과 수식들을 적어나가며 내가 얻은 결론은 하나였다.

'여자친구를 만나라' 라는 메시지...

나는 평범한 방법으로는 여자친구를 만날 수 없을 것 같아서 웬만해서는 안 나올 수가 없게 만들려는 심산이었다.

나는 차를 좋은 것으로 하나 렌트를 했다. 내가 당시에 무슨 돈으로 그랬는지는 생각이 나지 않는다. 다만 렌트카는 뽀대나는 것으로 해야 한다는 생각을 했던 것 같다. 그리고는 여자친구의 집 앞으로 찾아가서 무작정 나와달라고 떼를 쓰며 노래를 불렀다. 나는 그것이 나름대로 프로포즈라고 착각했던 것 같다. 왜냐하면 여자친구가 나와주면 내가 실제로 결혼 약속을 하고 만날 수 있을 것이라는 엄청난 망상을 하고 있었기 때문이다.
(실제로 조현병 환우들은 현재 또는 과거의 연인에게 엄청난 집착을 하는 경우가 많다고 한다)
나는 그때에도 내가 아픈 것을 제대로 인지하지 못한 것 같다.
왜냐하면 처음에 렌트카를 빌려서 소리치다가 차에 기름이 없는 것을 알고 주유하러 간 주유소에서 이런 말을 들었기 때문이다.(물론 환청이다)
"다시 돌아가는거지?"
"당연하지!"
"프로포즈하는거지?"
"당연하지!"
나의 환청은 상황에 맞게 이렇게 들리고 말았다.
내가 얼마나 심한 급성기 조현병이었는지를 알 수 있는 대목이다.

## 4. 교회에 안나가게 되다

나는 그 일 이후로 교회에 나가지 않게 되었다. 정확하게 말하면 교회에 나가기가 싫었다. 내가 가지고 있던 모태신앙의 믿음도 조현병의 증상 앞에서는 모든 것이 소용이 없었다. 당시에는 너무 심한 망상이 들어서 아무것도 못한 채로 지내기도 했다. 그리고 결정적으로 나의 기발한(?) 프로포즈에 제대로 상대해 주지 않고 경찰에 신고한 전 여자친구에 대한 그리움과 충격이 너무 컸기 때문이다. (내가 프로포즈를 한답시고 행패를 부린 것을 보고 여자친구는 경찰과 나의 아버지에게 신고를 해서 내가 스토킹으로 조사를 받으러 갈 뻔 하면서 뭔가 크게 잘못된 것을 느낀 내가 귀가를 해서 그 사건은 끝이 났기 때문이다)

나는 내가 하고 있는 모든 생각들이 다 맞다고 생각하며 병식(병에 걸림을 인지하는 마음)이 없었기 때문에 집에서 하루하루는 무료하게 보내게 된다.

나는 열심히 다니던 동네 교회에도 나가지 않은 채로 시간을 계속 집에서만 보내는 은둔형 사회부적응자가 되어 갔다.

조현병에 걸리기 전엔 (기독교)신앙은 나에게 매우 중요한 요소였다. 그러나 하나님도 나를 버리셨다는 생각을 하면서 나는 신앙이 무너져 내리기 시작했다. 하나님이 나를 사랑하지 않아서, 또 하나님이 나에게 벌을 주기 위해서 이런 일이 벌어진다고 생각하고 또 내가 괴롭다고 생각하니 도저히 신앙에 무게를 둔 삶을 살 수가 없었다.
당연히 성경도 보지 않고 CCM도 듣지 않고 예배도 드리기 싫었다. 내가 경배를 아무리 하면 뭐할 것인가? 나를 괴롭힐 생각만 하는 하나님께 나는 반항하고 싶었던 모양이다.

# 5. 정신병원에 입원하다

나는 모든 사물이나 기호 또는 현상이 나에게 특정 메시지를 준다고 생각하는 망상 등이 너무 심해져서 도저히 일상 생활을 할 수가 없었다. 그리고 그때쯤에는 나의 망상이 나를 연예인이 된 것처럼 생각하게 했기 때문에 나는 정상적으로 생각을 하는 법이 없었다.

나는 여자친구에게 프로포즈를 한 것을 계기로 유명한 사람이 되었다는 확고한 믿음을 가지고 있었던 것이다.

나의 행동을 보다 못한 부모님과 가족들은 회의와 수소문 끝에 나를 정신병원에 입원시키기로 결정했다.

물론 그 결정하는 과정에 나는 없었다. 내 의견은 어차피 망상에 의한 것이어서 무시하셨을 테다. 그런 결정을 하면서 가족들이 의지한 건 내 친척들이었다. 친척 동생 중에 쌍둥이인 여동생이 있었는데 간호사였기 때문에 병원 추천을 받은 것이었다. 나는 추천받은 병원인 경기도 의왕시의 계요병원에 입원 상담을 하러 방문하게 되었다.

나는 입원을 위해 아버지와 어머니 그리고 남동생이 하는 통사정을 글을 쓰는 현재는 기억하고 있다. 그것은 정말 눈물 없이는 들을 수 없을 정도의 절절한 부탁이었다. 어머니는 눈물을 흘리며 입원을 부탁했고, 동생은 그것만이 최선의 방법이라고 설득했으며 아버지는 단 한번만 아버지의 말을 들어주면 앞으로 다른 부탁 같은 건 하지도 않겠다고 말했을 정도이다.
나는 내가 조현병 판정을 받은 날 아버지가 쓰러지신 것을 어머니를 통해 그때 알았기 때문에, 그리고 나의 망상이 내가 들어가도 금방 꺼내줄 것 같았기 때문에 순순히 아버지의 설득에 응해서 정신병원으로 향했다.
정신병원에서는 내가 하는 말을 유심히 잘 들어보더니 나에게 진지하게 입원신청서를 내밀었다. 나는 코웃음을 치며 쉽게 사인을 해버렸다.
그 정확한 이유는 지금 이 상황을 모두가 지켜보고 있고, 나는 대단한 사람이기 때문에 따라다니는 파파라치들을 따돌리고 나면 퇴원이 바로 될 것이라는 엄청난 망상이 있었기 때문이다.
그러나 상대는 전문병원이었다. 꺼내줄 리가 없다.
나는 그곳에서 7개월이라는 세월을 보내게 된다.
나의 망상은 그곳에서도 병적으로 있었는데 모든 것이 나에게 메시지를 준다는 믿음이 아직도 깊이 존재했다.
나는 병원에서 사업구상을 하기 시작했다. 나는 큰삼촌이 사업을 하던 분이셔서 돈에 쫓기지 않는 여유가 있다는 것을 알고 있었고, 내가 어렸을 때부터 있었던 우리집의 가난을 내가 끊어줄 수 있을 것이라고 생각했다. 그래서 사업에 조금 관심이 있었다. 한마디로 말해 내가 사업을 해서 큰 돈을 벌면 우리집의 가난을 업앨 수 있을 것이라고 생각했기 때문이다.

그렇게 생각한 이유는 간단하다. 나의 유명세를 적극적으로 활용하면 돈을 버는 일 쯤은 아무것도 아니라고 생각한 것이다. 나는 나의 유명세를 자랑하며 병원에서 사람들에게 나와 함께 일하자는 제안을 하루종일 하면서 7개월을 버텼던 것 같다. 그리고 쉬는 시간에는 어김없이 사업구상을 했었다.

병원에서 다행히도 담배를 하루에 몇 번 정도 피울 수 있게 해주었는데 나는 그 낙으로 버틴 것 같다. 담배를 피우러 외부로 나가면 나는 그나마 보이는 바깥이라는 꿈같은 장소를 그리며 사업구상에 더욱 박차를 가하기도 했다.

나는 퇴원하는 순간을 기억한다. 병원에 입원했을 당시에 나는 열심히 병원에서 하는 재활 프로그램에 참여했는데 그날도 어김없이 프로그램을 하는 중이었다. 그런데 보호사 한 명이 나를 조용히 불러서 "경모씨 퇴원이에요. 짐을 챙기세요" 라는 말을 하게 된다.

정신병원에서 퇴원하는 것은 다른 사람이 잘 모르게 진행된다. 왜냐하면 많은 시기와 부러움을 사고 병원 생활에 적응한 사람들의 사기를 떨어트릴 수 있기 때문이다.

어쨌든 나는 퇴원을 하면서 이제 나의 꿈을 펼쳐보리라 생각한다.

## 6. 나는 세계에서 가장 유명한 사람이야

나는 망상이 심했지만 폭력성은 이제 많이 줄어든 상태로 병원에서 퇴원을 했다. 그래서 다른 사람과의 시비는 일어나지 않았지만, 여전히 강력한 망상이 남아 있어서 그것에 지배당하곤 했다. 그것은 바로 내가 세상에서 가장 유명하다는 망상이었다. 나는 연예인 병에 제대로 걸린 것이었다. 내가 하는 사업은 모두 대박이 나고 이슈가 된다는 잘못된 망상이 나를 둘러싸고 있었다. 내가 먹는 음료수 하나마저 '품절 대란'이 일어날 것이라는 엄청난 믿음이 나에게 있어서 실제로 사업을 하기 위해서 머리를 많이 굴렸다.
급기야 이제는 세상이 무섭다기보다는 내 편이라는 생각이 들었다.
나는 프로포즈를 한 것을 계기로 세상에서 제일 유명한 사람이 되었다는 착각으로 하루하루를 보내고 있었다.

## 7. 나는 사업으로 성공할거야

나는 그때부터 사업을 위한 준비를 하기 시작했다. 나는 정말 많은 아이템을 생각해보았다. 왜냐하면 내가 유명하기 때문에 내가 하는 모든 사업은 다 잘 될 것이기 때문이다. 그래도 내가 할 수 있는 분야를 골라서 해야겠다는 생각을 하고 있었기 때문에 나는 <프레이드림>이라는 IT솔루션 개발 회사를 차리기에 이른다. 왜냐하면 나는 컴퓨터 소프트웨어 공학과 출신으로 컴퓨터 개발을 전공했기 때문이었다. 나는 내가 가장 잘 할 수 있는 것을 사업으로 시작하려고 마음먹고 사업자 등록까지 마치고 자본금이 별로 없어서 대출을 받아서(500만원 정도) 사업을 시작하기에 이른다. 그러면서 홈페이지를 만들고 광고에 300만원 이상을 쓰며 직원을 구하려 사람인에 구인 광고까지 내고 실제로 면접을 진행해서 직원이 1명 생기기도 했다. (지금도 찾아보면 사람인 사이트에 '프레이드림'기업 정보가 남아 있는 것은 이런 이유 때문이다)
그러나 그 직원은 나의 넘치는 자신감(과대망상 또는 근거 없는 믿음)을 감당하지 못하고 그만두고 만다. 정확하게 말하면 내가 야심차게 제작한 근로계약서를 읽어보기만 하고 근무는 했지만 계약은 안한 상태로 출근만 한 것이다.

직원이 퇴사한 뒤엔 나는 IT 기업이 아니라 다른 1인 회사로 바꾸어 여러 차례 사업을 계속 시도했지만 모두 물거품이 되고 만다. 왜냐하면 나의 증상이 너무 심해서 제대로 된 사업 아이템이 나오지 않았고, 내 생각(유명하다는 망상)만큼 인지도가 없었기 때문에 홍보가 아예 안 되었기 때문이다.

## 8. 국정원이 나를 감시하고 있어

그런데 언제부터였을까? 나는 조금 더 지독한 망상에 사로잡히게 된다.
바로 '국정원'이 나를 따라다닌다는 망상이었다.
국정원이 무엇인가? 바로 우리나라의 정보(첩보)기관이 아닌가? 물론 실제로 존재하는 기관이기는 하지만 그 존재들이 왜 나와 관련이 있다고 믿었을까?
바로 내가 다니는 모든 곳에서 나를 감시할 수 있는 존재는 그 정도 힘을 가지고 있는 첩보 기관 밖에 없다고 생각한 것이다.
또한 내가 전 여자친구에게 프로포즈한 일이 나는 국정원의 정보통에 걸릴 만큼 위대하고 중요한 사건이 된 줄로 착각을 단단히 한 것이다.
나는 그 망상이 나에게 덮쳐오면서 오히려 두려워지기는커녕 담대해져갔다.
국정원이 따라다닐 정도로 대단한 사람이 되었다고 생각한 것이다.
그러나 내가 대단하다는 망상을 오래 가지고 있지는 못했다. 왜냐하면 이제는 모든 것이 두려움으로 다가왔기 때문이다.
사업을 해도, 가만히 있어도, 화장실에 가도, 담배를 피워도, 밥을 먹어도 계속되는 국정원의 감시는 분명히 있다고 믿었고 당연히 정상적인 생활이 되지 않았다.
나는 점점 더 나만의 공포심에 나를 맡긴 채로 국정원이 나를 감시한다는 '민간인 사찰'에 대한 생각을 하고 있었다.
그리고 두려움에 떨면서도 나는 국정원에 대한 복수를 꿈꾸고 있었다.

# 9. 사람들이 무서워요

국정원이 나를 따라다닌다는 믿음 때문에 그렇게 친하던 대학 동기들마저 나에게 등을 돌리고 나에게 남은 친구도 없었다. 중학교 동창도, 고등학교 동창도 모두 나를 외면했다. 나는 철저히 혼자 남았다.
그리고 여전히 사람들이 무서웠다.
어디에 가도 나를 비웃는 소리(웃음소리), 험담하는 소리(욕하는 소리) 등이 들려서 일상생활이 안되고 있었다.
어디를 가도 사람은 존재하니 당연히 나의 증상은 없어지지 않고 오히려 증폭되고 또 고착화 되어갔다.
모든 사람들이 무섭고 대화들이 듣기 싫었고 피해다니고 싶어서 집에만 있었다. 다행히도 내가 사는 안산의 우리집은 조용한 편이었다. 그래도 나는 가끔 지나다니는 학생들의 소리에도 경기를 일으키기 일쑤였다.
그로부터 몇 년이 흐른 후...

나에게 병식이라는 것이 찾아온다.

나는 이제껏 내가 아프다는 인식을 하지 못했는데 어느 날 가만히 생각해보니
'이렇게 많은 모든 사람들이 전부 다 이상하다면, 오

히려 내가 이상해서 그렇게 보이는 것이 아닐까?'라는 중요한 생각을 하게 된다.

그것을 계기로 나는 두려움와 직면하는 훈련을 하기 시작했다.
바로 혼자서 밖에 나가 보는 것이었다.
내가 두려워하는 모든 것에서 벗어나려면 내가 두려움에 적응을 하고 이겨내야만 했다.
나는 그때부터 아무리 무섭고 힘들어도 하루에 동네 한 바퀴를 돌아 보는 등의 연습을 하기 시작했다.
동네를 돌기가 싫으면 집 바로 옆에 있는 편의점에서 담배라도 피우면서 사람들을 관찰하기 시작한 것이다.
물론 그때도 모든 사람들이 나에게 위협으로 다가오는 상태였기 때문에 모든 것이 무서웠지만, 이제 더 이상 나에게 물러날 곳이 없다는 생각이 들었기 때문에 그냥 하루하루를 그렇게 나도 모르게 적응해 나갔던 것이다.
그리고 또 얼마의 시간이 흘렀을까...
나는 내가 조금씩 좋아짐을 어렴풋이 느끼기 시작했다. 아주 조금씩이지만 내가 밖에 나가도 위협이 되는 일은 없다는 것을 느꼈기 때문이다. 내가 실제로 신체적인 위협을 받은 적은 없으니 어쨌든 밖에 나갈 수는 있다는 것을 믿기 시작했다.

그리고 나는 그때 매우 중요한 결정을 내리게 된다. 내가 아프고 힘들었던 과정을 글로 써내고 그것을 책으로 만들면 어떨까 생각한 것이다.

## 10. 난 혼자가 좋아

나는 이제 혼자라는 사실이 두렵지 않았다. 왜냐하면 글을 써서 책을 만드는 과정이 너무 즐거웠기 때문이다. 내가 쓴 글이 어딘가에 기록으로 남아 영원히 보존된다는 안도감과 국정원의 만행을 널리 퍼트려 버릴 수 있다는 행복한 복수심에 불타고 있었던 것이다.
나는 어느 날 일부러 가족들이 모두 친척을 보러 간 사이에 글을 조용하게 혼자 쓰기로 결심하고 커피와 담배를 넉넉히 사서 컴퓨터가 있는 책상 앞에 앉았다.
나는 글을 쓰기 시작했다. 장장 13시간이 걸렸다.
그리고 내가 글을 다 쓸 때쯤에 가족들이 돌아왔다.
쉬지 않고 글을 써서 피곤할 만도 한데 그것을 인쇄해서 어머니께 보여드렸다.
그리고 나를 담당하는 계요병원의 의사 선생님께도 보여드렸다.(그때는 아직 계요병원에서 약을 타서 먹고 있었다)
마지막으로 내가 쓴 글을 책으로 만들기 위해 책 제작 주문을 하면서 나는 행복함을 느꼈다. 이것이 아마도 내가 글쓰기에 보람을 느낀 첫날이 된 것 같다.
내 글을 읽어줄 예비 독자분들이 반갑고 실제로 책이 팔리는 상상을 하며 정말 오랜만에 웃음기 있는 얼굴로 지내게 된다.

13시간에 걸쳐서 하루 만에 만든 책이라 퀄리티는 낮다.
그러나 그 책은 지금도 판매되고 있는 <조현병과 크리스찬>이다.

## 11. 먹는게 너무 좋아

나는 그때쯤에 가장 심각한 문제가 하나 있었다. 바로 먹는 것을 참기 어렵다는 것이었다. 그것도 가장 열량이 높은 햄버거 같은 것을 많이 먹었다는 점인데, 나는 당시에 표준협회에서 일할 때 만들어 놓은 신용카드를 가지고 마구마구 음식을 먹는 데에 돈을 쓰기 시작했다.

하루에 햄버거 세트를 6개씩 먹는 날도 있었다. 한 끼에 2세트씩 먹어서 3끼를 먹으면 하루에 6세트를 먹게 된다.

그 당시에는 먹는게 삶의 낙이었기 때문에 부모님도 우려하면서도 말리시지는 못하셨다. 먹을 때 만큼은 어떤 망상에서도 자유로웠고 실제로 증상이 나를 덮쳐오지 않았기 때문에 나는 먹는 것에는 정말로 진심이었다.

그러나 그 햄버거를 먹는 날들이 길어지면서 나는 급격한 체중 변화를 보이게 된다. 내가 먹는 정신과 약이 살이 많이 찌는 부작용이 있는(식욕이 당기는) 약이었던 것이다. 내 체중은 75kg에서 109kg까지 불어났다.

이제는 운동을 하지 않으면 안되는 수준까지 살이 불어난 것이다.

나는 격렬한 운동은 하기 싫었다. 그래서 집 주변을 조금씩 걷기만 했다. 어쨌든 나는 먹는게 너무 좋았고 그것이 멈춰지지 않았다는 것이다.

# 12. 난 사업으로 성공할거야

나는 글을 쓰는 지금도 약간의 사업에 대한 미련이 남아 있긴 하다. 그러나 실제로 내가 지금보다 많이 아팠을 당시에는 사업에 대한 집착이 너무 과하긴 했다. 내가 사업으로 성공하면 가장 빨리 성공할 거라는 잘못된 믿음으로, 또 처음 맛보는 대표라는 직함에 대한 달콤한 유혹을 참지 못하고 계속 사업을 꿈꾸고 있었다.
증상에서 자유로워지지도 않았을 텐데 사업만을 생각하는 한심한 모습을 가족들은 보면서 무슨 생각을 했을까?
내 생각에는 아마도 말리고 싶었을 것이다. 사실 내가 사업을 생각하며 실행한 것은 병원에 입원하기 직전의 일이었다. 그 당시 나는 사업 자금 확보에 많은 열을 올리며 대출을 하기 일쑤였는데 그것이 거의 2000만원 정도가 되어 버린 것이다.(카드 값 포함) 그것을 내가 어떻게 해결하셨는지 짐작이 가시리라 생각한다. 바로 동생이 해결해 준 것이다. 동생은 전문대를 졸업한 순간부터 직장생활을 하고 있었다. 그리고 자기가 피땀으로 힘들게 번 돈으로 나의 채무를 해결해 준 것이었다. 하루는 내가 병원에 있을 때 나의 채무를 갚다가 하루에 쓸 수 있는 한도가 초과 되어 채무를 해결하지 못한 날이 있을 정도로 나는 채무가 많았다.
지금 이 글을 쓰는 나는 그때 남동생의 심정이 어땠을까 상상이 가지도 않는다. 자기가 그렇게 힘들게 모아온 돈이 한순간에 형의 채무로 인해 없어지게 된 동생은 그때부터 세상에 회의감과 염증을 느끼게 되며 돈에 더 집착하게 된다.
이 부분은 아무리 생각해도 내가 백번 잘못한 일이기 때문에 나는 나의 어리석음을 한탄하기도 한다. 그러나 증상에 의한 사업병이 조현병의 흔한 케이스라는 것은 이 글을 읽으시는 여러분도 알고 계셔야 한다는 것을 말씀드린다.

## 13. 어려운 사람들을 도우면 복받겠지?

내가 한창 정신을 차리지 못하고 사업병에 열을 올리던 때에 나는 한가지 생각을 하게 된다. 믿음이 없다고 생각했던 크리스찬인 나에게 이런 생각이 드는 것이다.

'가난하고 어려운 사람들을 도와주면 나도 성경에 있는 말씀처럼 복을 받고 성공할 수 있지 않을까?'

나는 실행력이 많이 좋았기 때문에 바로 실행에 옮긴다.

특히 사업을 하는 데에는 앞뒤를 가리지 않고 바로 실험해보고는 했다.

나는 웹사이트를 만들었다. 그것은 어려운 사람들을 도와주는 사이트였다.

어렵고 힘든 사람들이 사연을 게시판에 적어 올리면 내가 그것을 읽고 승인해줘서 필요한 금액을 소액으로(1~5만원) 지원해 주는 것이었다.

아이디어와 생각은 좋았으나 나는 자금을 회수하고 굴릴 수 있는 방법은 생각하지 못했다. 나는 500만원을 대출하고 그나마 있던 300만원을 더 써서 열심히 사람들을 도와주고 홈페이지를 홍보까지 했다. 나는 이렇게 하면 소문이 나서 금방 성공할 것이라고 생각한 것이다.

왜냐하면 나는 유명하다는 생각을 아직도 하고 있었고 그것을 확인하기 위해서 사업을 했는데 자꾸만 사업이 잘 안되니까 이젠 확실하게 돈을 써서라도 유명해 지고 싶었던 것이었다.
그러나 결과는 어땠을까?
내 연락처와 이름을 아는 사람들이 생겨나고 나를 '대표님'이라고 호칭해주는 사람이 많이질수록 나는 대표병에 취해가고 또 내가 쓸 자본금은 없어져갔다.
당연한 일이 아닌가?
자금을 회수하지 않고 쓰는 것은 억만장자가 해도 금세 동이 나는 일인데, 돈 벌 수단도 없이 무작정 퍼주는 회사가 제대로 운영이 될까?
그럴 리가 없었다.
나는 또다시 빚만 늘려갔다.(이 채무를 동생이 나중에 병원에 내가 입원할 당시에 갚아준 것이었다)

## 14. 이 생활을 벗어나고 싶어

나는 반복되는 이 채무의 생활을 벗어나고 싶었다. 병원에서 퇴원한 다음에는 다른 채무가 없어서 그냥 카드값만 지출하고 있었는데, 그나마 그것도 한계가 있어서 많이 쓰지는 못했다.

나는 이 반복되는 생활에서 어떻게든 벗어나고 싶었지만 마땅한 방법이 없었다. 어떻게 하면 나의 증상이 좋아질 수 있을까 병식이 생긴 뒤로 항상 연구해봤지만 특별한 답은 없었다.

나는 나에게 즐거움을 줄 수 있는 수단을 만들려고 노력했다. 몇 가지 대안이 있었지만 결국 선택한 것은 강아지를 하나 분양하는 것이었다.

나는 동물을 좋아하는 편이어서 귀여운 강아지가 하나 있으면 외로움도 덜고 같이 산책을 나가서 운동을 하며 시간을 보낼 수 있을 것이라고 생각했다.

나는 망설이지 않았다. 바로 애견샵을 알아보고 어머니께 통보했다.

어머니는 같이 가주신다고 하셨고 나는 애견샵에 태어나 처음 간 날 태어나 처음으로 강아지를 분양받게 된다.

나는 암컷 갈색 푸들을 입양하면서 이름은 '행복이'로 지었다. 내가 행복하기를 바라는 마음, 그리고 강아지도 행복하기를 바라는 마음, 그리고 '행복'은 부르면 온다는 생각으로 그렇게 지었다.
강아지는 너무나 작고 소중하고 귀여웠다. 나는 행복이와 함께 자고 밥을 주고 물을 먹이며 조금씩 위안을 얻게 됐다.
글을 쓰는 지금은 내가 인천으로 이사를 와서 여자친구와 많은 시간을 보내고 있어서 행복이를 자주 볼 수가 없지만 여전히 내가 본가인 안산으로 갈 일이 있으면 펄쩍펄쩍 뛰면서 나를 반겨주고 핥아주는 기특한 녀석이다.
나는 행복이와 산책을 나가며 두려움과 공포에서 어느 정도 벗어나며 비로소 이 생활에서 조금씩 벗어나고 있음을 느끼게 된다.

# Part 3 - 지옥에서 탈출하기

지옥문이 열린 후에 그곳에서 탈출하는 과정은 생각보다 잘 진행되었다. 이 지긋지긋한 지옥 같은 일상과 망상으로부터 탈출하는 방법은 무엇일까? 본격적으로 탈출할 수 있었던 계기가 된 일부터 하나씩 시간의 순서대로 서술한다.

## 1. 조현병 커뮤니티

나는 내가 처음으로 쓴 책인 <조현병과 크리스찬>을 집필할 때쯤에 이런 생각을 가지게 된다. '조현병에 걸린 사람은 전체의 1%라는데 그러면 그런 사람들의 모임이나 커뮤니티는 없을까?' 라는 생각이었다. 나는 바로 실행에 옮겼다. 인터넷 검색도 해보고 오프라인 모임이 있는지도 찾아보았지만 생각보다 잘 안나오는 것이었다. 그러나 내가 문득 카카오톡 오픈채팅이라는 것을 생각해 낸다. '설마 있겠어...?' 하면서 키워드를 '조현병'으로 검색하자 생각보다 많은(10개 이상) 채팅방들이 나오는 것이었다. 나는 그 중에서 사람이 적당히 있는 곳을 골라서 들어가서 적응하기 위해서 애를 썼다. 같은 조현병이 있는 사람들끼리는 쉽게 친해질 수 있을 것이라는 막연한 기대 때문이었다. 그러나 그 기대는 금방 깨지곤 했다. 왜냐하면 그런 곳에서는 오래 활동한 사람일수록 친분이 많이 생기는 특성이 있기 때문에 나처럼 처음 들어온 사람에게는 별 관심이 없었던 것이었다. 나는 적응을 하지 못하고 이방 저방에서 튕겨져 나갔다.

그러나 나는 끈임없이 적응하려고 노력을 계속 하였는데 튕겨져 나갈 때마다 나의 마음도 조금씩 닫혀져 가고 있었던게 아닌가 싶고, 그 마음을 계속 다시 열어 보려고 했던 것 같다. 나는 혹시나 하는 심정으로 한 채팅방에 또 들어가게 되었다. 그런데 그곳에서는 내 예상과 달리 생각보다 적응이 쉽게 되는 것이었다. 나는 그 방에서 계속 이야기를 하며 내 안에 있는 마음속의 걱정과 불안함, 그리고 두려움에 대해 털어놓으며 조금씩 안정을 찾아갔다. 그 방의 사람들은 착했다. 그리고 그중에 방장이 가장 사람이 괜찮아 보였다. 나는 그 방장이 여성임을 알고 조금 놀랐지만 조금씩 여러 사람들과 함께 관계를 쌓아가며 웃음을 되찾아 가고 있었다. 왜냐하면 그 채팅방의 분위기가 많이 좋은 편이었기 때문이다. 새벽까지 채팅이 이어질 정도로 활발한 방이었기도 하다.
아무튼 그 방에서 울고 웃으며 시간을 보낼 수 있게 되자 나의 지루함과 외로움을 상당한 부분을 달랠 수 있었다는 것을 밝혀 둔다.

## 2. 심리상담을 받다

조현병이 상당히 심했던 망상에 모든걸 사로잡힌 당시의 나는 집 바로 앞에 있는 편의점에 나가는 것 조차 두려워 담배를 재빨리 한 대 피고는 들어오는 수준이었는데, 이런 내게 어머니는 어느 날 심리상담을 권하셨다. 그때는 그래도 폭력성이 줄어들고 내가 오히려 두려움으로 가득 차있던 시기였기 때문에 나름대로 어머니의 승부수라고 할수 있는 심리상담을 한번 받아보기로 했다.

당시 내가 있었던 곳은 본가인 안산이었는데, 안산에 있는 심리상담 센터를 가기 위해서는 버스를 타고 전철을 갈아타야 하는 상황이었다. 당연히 나는 그 모든 과정이 힘들어 어머니의 손을 붙잡고 그렇게라도 상담을 받아보려고 다니기 시작했다. 그러나 어머니는 강한 분이셨다. 5회차 정도가 되자 어머니는 나 혼자 다닐 수 있지 않겠느냐고 하시며 같이 센터에 가는 것은 거절하신 것이다. 나는 그 당시에 20회차 상담은 선결제 해놓고 있었는데 남아있는 15회 동안 내가 혼자 가야 한다는 부담감이 어마어마했다. 그러나 시간은 흐르고 어떻게든 내가 증상을 견디면서(거의 약에 의지하면서 다녀왔던 것 같다) 그곳에 다니에 된 것이다.

그곳에서 한 말 중에 가장 기억나는 말은 이것이다.
지금 내가 하는 생각은 다 누구의 생각이냐고 물어보는 것이었다.
당연히 나는 "제 생각이죠!" 라고 말했다.
그러나 상담사는 이렇게 말했다.
"그래요. 모든게 경모씨 본인의 생각이에요."

여기서 내가 중요한 깨달음을 얻게 된다.
정말로 내가 생각하는 것이 나만의 생각일까? 라는 물음과 그것이 맞다면 내가 그토록 두려워하는 국정원에 대한 모든 것은 두려워 할 가치가 없는 것이었다.
그러나 그 말을 들은 것은 15회차 쯤에 들은 것이었고, 그 깨달음 뒤로는 다른 어떤 깨달음 같은 것은 없어서, 또 심리상담을 받는 과정이 힘들어서 20회를 끝으로 직접 찾아가서 받는 상담인 대면 심리상담은 그만 받게 된다.
그러나 나는 생각이 있었다.
'크몽'처럼 인터넷에서 비대면으로 하는 상담은 비용도 더 저렴하고(시간당 3~5만원) 직접 찾아갈 필요도 없었던 것이다.
나는 신중하게 상담사를 물색해 보았고 그 중에 크몽이라는 사이트에서 기독교 상담사를 선택한다. 비용은 시간당 3만원 정도였다.
그리고 상담을 처음 받는 날부터 나는 나의 회복이 빨라짐을 강하게 느끼게 된다. 기독교 상담사는 나의 신앙적인 부분 또한 케어해 주면서 나의 망상들을 효과적으로 맞서는 방법이나 생각에 대해서 많이 조언을 해 준 것이다. 나는 덕분에 미리 결제를 10회정도 끊어놓고 내가 망상이 올라오는 그 순간에는 다른 건 생각하지 않고 상담사에게 바로 전화를 걸어서 상담이 가능하면 즉시 상담을 받도록 했다. 왜냐하면 상담을 받을수록 좋아지고 있는 나의 모습이 확실히 보였기 때문이겠다. 그리고 당시의 나는 한국표준협회에서 일을 할 때 만들어 놓은 신용카드가 있어서 비용은 생각하지 않고 일단 상담을 받았다. 왜냐하면 내가 좋아지는 것이 가장 급한 일이라고 생각했기 때문이다.

## 3. 여자친구를 만나다

나는 앞에서 언급한 조현병 커뮤니티에서 시간을 보내고 있었다. 그런데 그 방에 있는 사람들은 거의 다 좋은 사람들이었고 나는 더 친해지고 싶은 마음이 들어서 채팅방에 더 열심히 참여하게 되었다. 하루하루 채팅을 하면서 무료한 일상을 달래고 또 웃음을 찾아가는 내게 어머니는 훗날 '하루종일 웃었다'라고 표현하시기도 했다. 어쨌든 난 그 채팅방에서 지금의 여자친구를 만났다. 처음에는 여자친구가 방장이었기 때문에 접근하는게 부담스럽기도 했지만, 여러 가지 일들을 겪으면서 점차 사람 대 사람으로 좋아지는 감정을 느낀 것이다.

나는 조금씩 마음의 거리를 좁혀가기 위해서 의도적으로 방장에게 멘션(특정 사람을 지칭하는 것)을 해가며 채팅에 더 열을 올리고 있었다. 그리고 해당 채팅방에서 진행하는 모든 행사들을 참여하기 시작했다. 그중에 보이스톡이라는 것도 있었는데 사람들이 서로 음성채팅을 하는 것을 뜻한다.

나는 보이스 채팅을 하며 새벽 2~3시까지 함께 놀며 (일하는 직장이 없는 관계로) 자연스럽게 더 방장인 여자친구에게 다가갔고, 마침내 기회가 찾아온다.

그것은 진실게임이라는 채팅방의 이벤트 비슷한 거였

는데 거기서 나는 고백을 해버린다. 비록 온라인상이기는 해도 나의 진심은 전달될 것으로 생각했다. 또한 이런 채팅방을 이끄는 방장님이라면 인각적으로 이미 검증이 된 것이나 다름없다는 생각을 하였다. 왜냐하면 조현병의 증상을 가지고 있는 사람을 당시 100명 이상이나 되는 인원에게 일일이 답변을 해가면서 착실하게 운영하는 그 모습이 너무나 성실하게 느껴졌기 때문이다.

나의 고백 결과는 어떻게 되었을까?

결과는 대성공이었다. 당시 방장이었던 여자친구는 많이 내색은 하지 않았지만 기쁘게 나를 받아주는 것이었다. 훗날 알게 된 이야기로는 당시에는 기분이 너무 좋아 얼떨떨했다고 한다.

## 4. 터전을 옮기다

나는 여자친구가 생기고 난 뒤부터 많은 고민에 빠졌다. 그것은 여자친구가 사는 곳이 거리가 좀 있는 인천이었기 때문이었다. 내가 사는 본가는 안산이어서 자동차가 없는 내가 전철로 가기에는 너무 돌아가야 하는 구간이어서 나는 없는 살림이지만 택시를 이용하고는 했다. 조현병이 생기고 8년이라는 시간 동안 누군가와 연애를 해보지 않았던 나는 여자친구가 너무나 보고파서 전철을 타는 시간마저도 아끼려고 한 것이다.

나는 택시를 많이 타기 시작했다. 당연히 기초수급자였던 내겐 금전적 여유가 없어서 신용카드를 많이 사용하기도 했다. 그러나 그렇게 택시를 계속 탄다면 분명히 나는 과다한 채무를 가지게 될 것은 분명했다.

여자친구는 그 때 중요한 결정을 한다. 바로 인천으로 내가 오기를 바라는 것이었다. 나는 조금 망설였다. 5살 때부터 31년을 살았고 나의 고향처럼 여기던 삶의 터전을 여자친구의 말을 듣고 옮겨야 할지도 모르는 상황이 된 것이다.

그러나 나는 많이 망설이지 않았다. 왜냐하면 여자친구의 마음과 인품을 좋게 봐주시는 가족들이 이사를 조금은 찬성해 주었기 때문이다. 물론 과정은 조금 힘들었지만 결국 나는 인천에 이사를 오게 된다.
처음에는 여자친구의 집에서 생활을 했지만 결국 내 방이 하나 필요하다는 것을 알았고 또 방을 수소문해서 월세방을 하나 얻었다. 여자친구의 집에서 걸어서 10분 거리의 위치였다. 그렇게 함으로써 나는 독립된 생활환경과 여자친구와의 생활을 동시에 해결할 수 있게 되었다. 지금 내가 이 글을 쓰는 곳은 나의 작업실(자취방)이다. 나는 저녁이면 여자친구의 집으로 가서 함께 시간을 보내고 아침에 다시 자취방으로 돌아오는 생활을 하고 있다.

## 5. 새로운 사람들과 회복의 시작

나는 인천으로 이사를 오면서 본격적으로 인천에서 살 때 필요한 적응을 하기 시작했다. 일단 지역명을 잘 알아야 했고 버스 노선이나 지하철에 노선도 잘 알아야 했다. 그리고 새로운 사람들을 만나고 관계를 맺는 것에도 열심히 참여했다. 인천은 채팅방에서 활동하는 사람들 중에 인천에 살고 있는 사람이 있었고, 또 여자친구를 따라 타지에서 인천으로 이사를 오는 경우도 있어서 연락하거나 만날 사람은 몇 명 생기게 된다. 그리고 그 후부터 나는 훨씬 더 증상이 개선되고 정신적으로 안정적인 상태로 진입하기 시작했다. 그 이유는 대외적인 활동이 없었던 내게 새로운 사람들을 만나고 경험하며 낯선 곳에 가서 함께 보내는 시간이 많아질수록 나의 회복 또한 빨라졌기 때문이다. 나는 조현병이 발병된 이후로 낯선 곳에 가는 것을 정말 많이 두려워했는데 이것을 이런 관계적인 이유로 조금씩 극복해 나가고 있었던 것이다. 예를 들면 카페에 들어가서 대화를 하거나 무언가를 한다는 것은 이사를 오기 전의 나에게는 상상을 하기도 힘든 일이었는데, 이것이 이제 조금씩 일상적인 영역으로 들어오기 시작한 것이다. 가장 기뻐한 것은 어머니였다. 나의 안정적인 상태를 설명하자 어머니는 매우 기뻐하시며 인천에 잘 갔다고 말씀하셨다. 나는 내가 안정되어감과 동시에 여자친구와의 연애에 가족들의 지지를 받으며 인천에서 적응해 나가고 있었다. 나는 착실히 인천에서의 삶을 즐기며 적응해 나가게 된다.

# 6. 한살이라도 젊을 때 놀자

그중에 노는 것에 정말 진심인 사람이 한 명 있었다. 증상 때문인지는 몰라도 한 번 놀면 끝을 보려고 하는 사람인지라 워낙 노는 것을 좋아했던 나조차도 상대하기가 버거울 정도로 잘 놀았다. 그 사람은 여성이었는데 인천에 가까운 곳에 살았기 때문에 제일 자주 만나는 사람이 되었고 여자친구와도 원래 인연이 있던 사람이라 나하고도 금방 친해질 수 있었다.

우리 3명은 정말 원없이 놀았다. 오후에 만나 새벽 2~3시까지 노는 것은 기본이었다. 젊었을 때야 패기로 논다고 하지만 나는 36~37살이 된 무렵이라 체력이 힘들어지는 경우도 있었는데, 그 사람은 지칠 만도 한데 계속 노는 것을 멈추지 않았다. 그래서 나는 어차피 일을 안하고 있는 상황이라 놀 수 있는 한은 계속 놀았던 것 같다. 노는 것의 장점은 아무 생각이 안 난다는 것이고, 또 낯선 곳을 여러 곳에 가서 놀아야 한다는 것인데 나는 이렇게 놀면서 오히려 정신적으로 내가 못하는 활동이 없다는 것을 깨닫는 계기가 된 것 같다.

나는 현재 거의 자유롭게 거리를 돌아다니기도 하고 카페에 가는 것을 더 이상 두려워 하지 않게 되었다. 약간 조증이라고 할지는 몰라도 나는 어쨌든 이렇게 잘 놀면서 나의 힘든 시간을 극복해 가고 있었다.

## 7. 부부싸움은 칼로 물배기라는데

나는 그런데 그런 생활을 하면서도 여자친구와 마찰이 있었다. 처음에는 사랑으로 모든 것을 다 감싸는 듯 했으나 결국 나도 한 평범한 인간에 불과했던 것일까? 우리는 특히 금전 문제로 많이 다투기도 했다. 왜냐하면 내가 벌어들이는 소득에 비해서 소비가 과했기 때문이다. 나는 담배를 끊지 못해 피우고 있는데 이것이 비용이 만만치 않아서 항상 마이너스가 되기 일쑤였고, 그것을 해결하다가 화다가 난 여자친구가 나에게 쓴소리를 하자 나는 자존심에 상처를 입고 돌변 내 자취방으로 숨어버리는 일까지 발생했다. 그러나 나는 화해를 시도했다. 이 좋은 사람이 나에게 바라는 것은 딱 하나, 돈에 대한 관리를 잘하자는 것이었기 때문이다. 현재는 그래서 어떻게 잘 사귀고 있는가 이야기해야겠다. 나는 현재 중증 장애인으로 등록이 되어 있어서 중증 장애인 일자리 사업에 참여할 수 있는데 나는 검색을 통해 한 업체에 면접을 보아 합격을 하였고 또 그로 인해 오전에는 9시부터 12시까지 3시간 일을 하면서 재택근무를 하고 있고 오후에는 내가 자유롭게 시간을 쓸 수 있게 되었다. 뿐만 아니라 일을 함으로써 내 담배 값 정도는 내가 관리할 수 있게 되어 자연스럽게 여자친구와의 마찰이 없어지며 안정적으로 연애를 할 수 있게 된 것이다.
나는 조현병을 가진 중증 장애인 여러분들에게 할 수 있는 한 일을 하는 것이 좋다고 말하고 싶다. 정부에서는 기초수급자로 지정되면 매달 수급지를 주지만 그 수급비를 가지고 한 달을 사는 것은 무척이나 어렵다. 그래서 나처럼 약간의 소득이 있는 장애인 일자리 사업에 참여하면 좋겠다는 생각을 해본다.

## 8. 본격적인 글쓰기의 시작

생활이 조금 안정되자 나는 글쓰기에 매진하기 시작했다. 사실은 인천에 이사를 오기 전부터 글을 쓰고 있었는데 그것이 이어져서 이렇게 오랫동안 글을 쓰게 되었다. 나는 거칠 것이 없었다. 글을 쓰기 위한 거의 완벽한 환경이 갖춰지자 나는 내 조현병에 대한 지식을 쏟아부어 책을 만들기 시작했다. 물론 잘 팔리길 바라긴 했지만, 한 명의 독자가 있더라도 내가 제시하는 방법이나 일러주는 경험을 통해 깨달음을 얻고 나아지기를 바라는 마음이 있어서였다.

나의 경험이 진솔하게 들어간 내 책이 나올 때마다 나는 많이 기뻤다. 책을 만들어 보지 않은 사람은 느끼지 못할 감정이다. 그런데 그 책들이 6권이나 모여 있을 때 나는 한가지 생각을 하게 된다. '책의 분량이 너무 작다'라는 치명적인 문제였다. 내가 아무리 용을 써가며 글을 써도 내가 쓸 수 있는 분량은 거의 한계점이 명확해서 분량이 쉽게 나와주지 않았다. 그런데 또 꾸며 쓰는 방식으로 내용을 쓸데없는 말로 채우기는 싫었기 때문에 나는 그냥 적은 분량이라도 출판을 계속 해야겠다는 생각으로 밀어부쳤다. 그러나 그 생각에도 한계가 온 것일까? 나는 합친 한권의 책을 만들고 말았다. 이것은 정말로 분량에 목마른 나를 위한 책이기도 했다. 제목은 내가 조현병에서 자유롭게 해달라는 기도를 천 번 이상은 했다는 생각으로 <조현병과 천번의 기도>라고 지었다. 이 책은 조현병에 대한 나의 생각이 많이 들어간 나의 경험 서적이다. 다양한 주제로 얽혀있는 총 6권의 책이 합본으로 들어찬 책이다.

# 9. 프레이드림을 포기하다

나는 내가 책의 제목으로까지 만들면서 홍보를 했었던 '프레이드림'이라는 단체를 어느 정도는 포기하려고 마음을 먹고 있다. 왜냐하면 아무래 애를 써도 홍보가 정말 안되었기 때문이다. 나는 일전에 집필해 온 책에서 항상 '프레이드림'이라는 상호를 가지고 사업을 할 생각만을 하고 있었다. 그러나 그 사업이라는 것이 아직 나에게는 준비가 되지 않은 영역임을 깨닫는 데에 오랜 시간이 걸렸다. 오히려 이렇게 작가로서 글을 쓰는 것이 사업 분야보다 더 많은 돈을 벌기도 하니까 말이다... (나는 책들의 판매 실적에 따라 인세를 받는 작가임을 알려드린다)

사업을 그만두는 이유는 조현병에 대한 것들을 사업 아이템으로 구상한 것도 그렇지만 이 사업이 잘된다는 보장도 없고, 무엇보다 나는 지금을 사는 현실이 더 중요했기 때문이다. 나는 현재 나와 같이 생활하는 여자친구와의 관계를 가장 중요시하는데 지금 내가 사업을 하려고 하면 여자친구는 도시락을 싸들고 말리려고 하는 모양새가 되어 있다. 나는 그 모습을 몇 번이나 지켜본 뒤에 지금은 내가 할 수 있는 사업이 아니라는 생각을 하기에 이른다.

내가 원래 생각했던 사업 모델을 말씀드리자면 조현

병에 걸린 사람들이나 그 가족들 또는 지인들을 대상으로 하는 사업으로써, 조현병에 걸린 사람의 생각을 전환해 줌으로써 조현병의 근본 원인을 없애고 또한 가족들과 지인의 멘탈 케어를 실시하는 상담을 함께 진행하려고 한 것이다.
그러나 나에게는 아직 번듯한 상담사 자격증 같은 것도 없고 그냥 조현병에 걸렸다가 회복된 한 명의 조현병 환우였을 뿐, 다른 이루어 놓은 것들이 없었기 때문에 내가 사업을 내려놓을 수 밖에 없게 되었다. 왜냐하면 사람들은 자격증이나 이루어 놓은 것이 많아서 눈에 보이는 결과치가 좋은 업체를 상대하기를 원하기 때문이다. 아니면 광고라도 제대로 해서 인지도가 높이 올라간 상태라면 모를까, 아직 그 정도 단계도 되지 않는 나는 광고비로 수십만원을 지출해도 제자리 상태로 홍보가 되지 않았다는 점을 꼽을 수 있다.

## 10. 작가로서의 삶을 꿈꾸다

그리고 이제는 작가로서의 삶을 더 꿈꾸고 있다. 이렇게 계속 책을 쓰는 이유 또한 그것이다. 작가의 삶은 생각보다 재미있다. 소재만 발굴해 낼 수 있는 능력이 있고 그것을 말로써 풀어낼 수만 있다면 집필활동은 계속 영위할 수 있는 것이다. 나는 소재거리가 항상 문제였기 때문에 지금처럼 조현병을 소재로 한 책을 쓰고 있지만, 현재는 다양한 소재거리를 위해서 노력을 하고 있다. 예를 들면 금연을 시도해서 성공을 하면 금연에 대한 책도 써 볼 생각이 있고, 여자친구와의 일화를 담은 '여자친구 헌정 책'을 준비하고 있다. 또 지금의 사회초년생에게 하는 말들을 적어놓은 책도 준비하고 있다. 이처럼 나는 여러 소재들을 가지고 이제 조현병의 이야기에서 벗어난 다양한 주제를 가지고 글을 써보려고 하기도 한다.

작가로서 사는 삶이라는 것은 아무래도 판매 실적이 좋아야 하는 것 아닌가 하는 생각은 든다. 그러나 꾸준히 정진하면 빛을 본다는 말을 나는 믿는다. 이렇게 별 것 아닌 나의 경험을 읽어주시거나 내 글을 봐주시는 분들이 있는 한은 글을 계속 쓸 생각이다.

작가로서 산다는 것은 생각보다 또 어려운 일이기도 하다. 소재와의 싸움, 작품성에 대한 고찰, 사소한 오탈자 체크 등등... 그럼에도 나는 작가로서 사는 나의 모습을 후회하지 않는다. 왜냐하면 기록으로서의 작품으로 어딘가에 보존되고 있는 나의 글들이 있는 한은 내가 무엇인가를 열심히 했다는 흔적이 반드시 남는다는 것을 알기 때문이다. 그리고 이제 그것에 재미를 붙여서 이렇게 장문의 글을 쓰고 있기도 하고 말이다. 나는 작가로서의 나의 모습이 좋다. 작가님이라고 나를 불러주는 사람들이 좋고, 내 글을 작품이라고 말해주는 사람이 좋다. 나는 계속 작가로서 살아가고 또 발전해 나갈 것이다.

# Part 4 - 천국문 입구를 보다

길고 긴 나의 지옥 경험이 끝나고 드디어 천국문이 열리는 순간까지 오게 되었다. 나의 천국은 어떻게 시작될 것인가? 그 시작에 대한 이야기다. 나는 드디어 어둠에서 벗어나는 과정을 겪고 밝은 세상으로 나갈 준비를 하고 있다.
그 시작에 들어있는 나의 천국문 입구의 이야기들을 자세히 만나보자.

# 1. 교회는 안나가도 CCM은 들어요

나는 조현병이 발병하면서부터 교회에 나가지 않게 되었다. 정확하게 말하면 교회에서 조현병을 가지고 있다는 이유로 은근한 무시를 받은 것이 이유가 되어 내가 스스로 나가지 않게 되었다. 나는 그 이후로 교회에 대한 깊은 불신을 느끼고 있었다. 그러나 하나님에 대한 믿음과 예수님의 보혈의 의미를 모르는 것은 아니었다. 그래서 나는 대안으로 CCM을 많이 들었다. 교회에는 안 나가서 예배를 드리지 못하니 음악으로나마 위안을 삼은 것이다. 내가 듣는 CCM은 대부분 경쾌하고 밝은 것들이다. 조현병이 가장 심했을 때에는 CCM을 하루종일 듣기도 하였는데 그 이유는 CCM을 들을 때는 환청이나 망상이 올라오지 않았기 때문이다. 그것은 바로 CCM이 하나님을 찬양하는 노래였기 때문에 세상적인 가사는 들어가지 않기 때문이다.

그렇다면 현재는 어떨까? 나는 여전히 CCM을 자주 듣는다. 잘 안 들을 때가 있는가 하면 하루종일 듣는 날도 있다. 난 오늘 또 하루종일 CCM을 들어볼 생각이다. 혹시 이 책을 읽는 조현병 환우 중에서 나처럼 크리스찬이 있다면 교회에는 나가지 않더라도 CCM은 들어보는 것이 어떨까 생각한다.

내가 가장 좋아하는 CCM은 'Again 1907'앨범에 있는 '주의 십자가' 이다. 워낙에 Rock을 좋아하는 터라 CCM도 밴드 사운드가 많이 들어간 것을 선호하기 때문이다. 시간이 나면 한번 들어 보시길 바란다. 매우 가사가 좋다. 또한 유명한 소리엘의 '나로부터 시작되리'도 신나고 좋다. 글을 쓰다 보니 또 CCM을 듣고 싶다.

## 2. 나는 그래도 크리스찬입니다

나는 내가 크리스찬인가에 대한 물음을 항상 달고 살았다. 왜냐하면 담배를 피우는 데다가 교회에도 안나가고, 성경 또한 통독을 해본 적이 없기 때문이다. 내 유일한 기독교적 자랑거리는 어머니의 뱃속에서부터 기독교였다는 모태신앙이라는 점인데, 나는 사실 이 사실이 나에게 매우 많은 영향을 주었다고 생각한다. 나는 자라온 환경에서 기독교적인 집안 친가와 외가 모두의 영향을 받아서 남을 돕고 베풀 줄 아는 사람으로 친절한 성격을 가지고 있었고, 그것이 바탕이 되어 조현병이 급성으로 와서 나의 모든 것을 잠식해 나갔을 때에도 '타인에게 피해를 주지 말자'라는 의식이 어딘가에 남아 있어서 폭력성이 많이 표출되지도 않았다. 종교를 무조건 옹호하는 것은 아니지만 종교가 가지고 있는 이점은 정말 많다. 특히 기독교인 분들이 이 책을 보신다면 내가 꼭 드리고 싶은 말씀이 하나 있는데, 그것은 우리가 무엇을 잘못했다고 해서 조현병이 생기는 것은 아니라는 것이다. 나 또한 신앙의 문제로 생각하고 조현병을 기도원에서 치료해보고 또 안수기도로 나을 수 있을 것이라는 생각을 한 적이 있다. 그러나 난 지금 교회를 다니지 않아도 내 기준으로는 충분히 Holy(신성)하고 또 조현병의 증세 역시 상당 부분이 호전되었다. 이것은 나의 믿음의 뿌리가 있었기 때문이기도 하지만, 조현병은 역시 스스로 깨닫고 치료하려는 의식이 있으면 호전이 가능하다는 이야기가 된다. (약물의 도움을 반드시 필요로 하는 이야기이니 병원에 가는 것을 절대로 두려워 해서는 안된다)
나는 어쨌든 크리스찬이며 지금도 살아계신 하나님에게 모든 영광을 돌린다.
내가 어떤 모습이던 간에 나를 사랑해 주시는 그 은혜로 인해 나는 내가 살아감을 느끼고 있기 때문이다.

## 3. 담배는 끊고 싶네요

이 주제는 참 어려운 주제이기도 하다. '담배'는 이제 정말 끊고 싶다.
여러 번 금연을 결심했지만 아직 실천을 못하고 있다. 담배의 중독성이 대단함을 새삼 느낀다. 지금도 이 책을 집필하면서 담배를 얼마나 피웠는지 기억이 안날 정도이다. 더군다나 조현병을 가지고 있는 분들이면 담배를 더 끊기 어려울 것 같다. 그러나 내가 속한 커뮤니티(채팅방)의 몇몇 사람은 조현병을 가지고 있으면서도 담배를 끊어내는 것에 성공하기도 한다. 우리는 그것을 본받아야 할 필요가 있는 것 같다. 나 또한 지금은 힘들지만 언젠가는 담배의 유혹과 마수에서 벗어나 주님이 주시는 온전한 평안을 맛보며 살아가길 소망한다.
또 당부할 것은 조현병 환우의 금연이 실패로 돌아가도 항상 응원을 필요로 한다는 것이다. 실제로 나의 개인 블로그에는 담배와 조현병에 관한 글이 있는데 이 글을 검색하는 분들이 정말 많다는 것은 나는 알고 있다. 실제로 조현병에 걸리면 담배를 끊는다는 것은 거의 힘든 일이긴 하다.
블로그에 유입되는 키워드는 바로 '조현병 담배'이다. 블로그 글의 내용을 함축하자면, 조현병에 걸린 사람이 담배를 끊지 못하는 것은 약물과 생각의 영향으로 볼 수 있다. 정확하진 않지만 나는 약물이 니코틴 의존도를 높인다고 보고 있다. 그리고 그보다 정확한 것은 조현병 환우들을 항상 생각으로 가득 차 있다는 것인데, 일반적으로 담배를 피우는 경우에는 생각이 많은 경우에 피우기도 하기 때문에 끊임없이 올라오는 생각을 쳐내고 담배를 끊는다는 것은 기존의 흡연자에게는 무리한 행동일 수도 있다. 그러니 조현병 환우가 담배를 끊지 못하는 것을 너무 나무랄 필요는 없어 보인다.

나 또한 담배를 끊으려 노력하지만 잘 되지 않는 것을 보면서 끊기보다는 비교적 타르 함량이 낮은 조금이라도 순한 담배로 교체하는 것이 일단은 최선이라고 보면 되겠다.

## 4. 술은 이제 안먹어요

담배를 끊지 못한 사람이 술을 끊을 수 있을까?
나는 할 수 있다고 생각한다. 실제로 나는 술을 먹고 조현병이 재발 된 다음부터 입에 술을 대지 않았다. 술을 안 먹는 것 또한 금연에 비할 정도로 힘들다는 것은 안다. 그러나 나는 선천적으로 술이 잘 안 받는 체질이었고 조현병에 걸리기 싫었기 때문에 술을 멀리하게 된다. 소신있게 말하자면 나는 오히려 조현병에는 담배보다 술이 더 안 좋다고 생각한다. 멀쩡한 사람도 술을 먹으면 실수를 하거나 생각을 정상적으로 하지 못하는데 조현병에 걸린 사람이 스트레스를 푼다는 이유로 술을 많이 먹으면 어떻게 될까? 당연히 좋지 않은 결과가 나올 것이다. 담배를 추천하는 것도 아니고 권장하는 것도 아니다. 술과 담배 모두 안 좋은 영향이 있지만 술을 마시는 사람은 조현병이 생기면 술을 끊어야만 할 것이다. 실제로 나는 조증이 심했기 때문에 술을 먹고 기분이 좋아지는 것을 내가 스스로 방지하며 술을 먹지 않게 되자 증상이 자연스럽게 줄어들기 시작했다는 것이다.
그래도 기독교적인 입장에서 보면 술과 담배는 모두 해롭기 때문에 둘 다 그만할 수 있으면 그만두라고 말하고 싶다.

나는 이제 술을 먹지 않는다. 그러나 일상생활도 잘 해내고 있다. 술이 없으면 스트레스 해소를 못한다는 것은 핑계일 것이다. 그냥 술에 중독된 것이 아닌가? 스스로가 중독된 것을 알고 있다면 조금은 더 수월하게 술을 끊을 수 있을지도 모르겠다. 내가 피우는 담배 또한 마찬가지로 스트레스를 받아 피우는 담배는 핑계라고 생각한다. 그냥 중독인 것이다. 어쨌거나 나는 이제 술을 먹지 않음으로 그 2가지 중독 중에서 한가지는 벗어날 수 있었다.
담배는 못 끊었으니 뭐라 하기 힘드니 술을 끊은 사람으로서 한마디 정도만 하려고 한다. 술자리에서 술을 먹지 않는 당신이 바보같이 느껴질 때도 있을 것이다. 그러나 그 모습은 오히려 존중받고 자랑스러워해야 할 당신의 건강하고 바른 모습이다. 중독에 의지하지 않고 강한 정신력으로 모든 것을 이겨 나갈 수 있는 사람이라는 생각이 든다. 나도 그렇게 되기를 바라고 있다.

## 5. 여자친구를 만나고 바뀐 점

제목 그대로 여자친구를 만나고 바뀐 점이 몇 가지 있다. 가장 우선으로는 참을성이 많아진 것이다. 나는 조현병에 걸린 탓인지 참을성이 거의 없는 정도였는데 여자친구와 관계적으로 위기를 겪으면서 내가 참으면 되는 문제를 많이 겪었다. 그러나 참는 것만이 능사는 아니다. 나는 또 하나의 방법을 배웠는데 바로 '내가 불편한 것을 말하는 연습'이다. 이것이 사실 어떻게 보면 관계를 망쳐놓을 것이라는 생각으로 하지 못하는 것일 수도 있는데 사실은 그렇지 않다. 일시적으로 냉랭한 분위기가 나오더라도 그때 잠시 그런 것일 뿐, 관계는 정상으로 돌아온다. 나는 내가 불편한 것은 바로 말하는 것이 좋다는 것을 배운 것이다. 예를 들면 여자친구가 한 노래만 계속 듣고 있어서 너무 그 노래가 질려서 힘들면 참을 필요가 없다. "다른 노래로 바꿔 듣고 싶어"라는 말 한마디가 싸울 말은 아니지 않는가? 나는 이런 방법으로 지금도 여자친구와 관계를 유지하고 있으면서도 나의 불편함을 말하곤 한다.

나는 오히려 나의 불편함을 불편한 순간에 바로 말하지 않는다는 점이 여자친구가 답답하다고 생각해서 싸운 적이 많았다. 불편한 것은 참을 필요가 없다는 것을 나는 아주 잘 배웠다.
그러나 아무래도 여자친구를 만나고 가장 바뀐 점은 나의 증상이 안정적으로 변했다는 것이다. 나는 이렇게 나에게 안정감을 주는 사랑스러운 여자친구에게 앞으로도 잘 대해 주며 사랑할 것이다. 여러분도 나에게 많은 신뢰감을 주는 사람이 있다면 정말로 최선을 다해서 존중해 주어야 한다고 생각한다. 여러분의 곁에 남아있는 사람들의 소중함을 한번 느껴보았으면 좋겠다. 나의 경우에는 내가 조현병에 걸린 것을 알고 친했던 친구들이 많이 떠났다. 그러나 그럼에도 내 곁에 남아있는 친구들이 몇 명 있는데 나는 그 친구들이 정말로 참된 친구라고 생각한다. 여러분이 환우라면 그럼에도 불구하고 내 곁에 남아있는 나의 가족이나 친구, 연인 또는 부모님을 생각하며 힘을 내시길 바란다.

# 6. 장애인으로 취업하기

장애를 가지고 취업을 한다는 것은 그 자체로 대단한 여정이 된다. 왜냐하면 장애를 가지고 있다는 것은 취업에 절대적으로 불리하기 때문이다. 지금 청년실업률을 보면 멀쩡한 사람도 취업에 성공하지 못하고 집에서 노는 사람이 많다고 하는 상황이다. 그러나 우리는 생계유지를 위해서 취업을 해야 한다. 그러면 어떤 방법이 가장 좋을까? 나의 경우에는 다행히도 '중증 장애인' 판정을 받아 중증 장애인 전용 일자리 사업에 참여하고 있다. 한 달에 받는 보수는 적지만 그래도 하는 일이 어렵지 않아서 적응이 조금 쉬운 편이었다. 나처럼 중증 장애인이신 분들이거나 장애인이신 분들은 이런 장애인 취업 제도를 이용해 보는 것이 가장 좋다. 네이버나 인터넷에 검색을 해도 나오지만 적당한 곳이 없다면 동사무소 같은 곳에서 취업을 도와달라고 하면 도와줄 수도 있다. 또한 복지센터 같은 곳에도 취업을 연결해 주는 기관들이 있는지 면밀이 살펴봐야 할 것이다. 우리가 장애인임을 알고도 써주는 곳은 생각보다 많지 않다. 웬만하면 한번 들어간 곳에서 꾸준히 계약기간이 다 될 때까지 다니는 것을 추천한다. 나처럼 인터넷에서 안정적인 직업을 가져 보고 싶다면 내가 아는 곳 중에 하나를 소개한다. '삼장

사'라는 네이버 카페인데 그곳에는 장애인들의 일자리 정보를 알려주는 글들이 가득하다. 그곳에서 잘 정보를 얻어서 취업해 성공을 할 수도 있을 것이다.

## 7. 수급자 + 장애인일자리 + 작가 = ?

나는 수급자이며 장애인 일자리를 하고 있고 작가로서도 살고 있다. 내 정체성은 어디에서 찾아야 할까? 나는 작가라는 것에 무게를 더 두고 싶다. 내가 쓰는 책들은 분명히 일반적인 책들은 아니다. 조현병을 소재로 하는 책들은 몇 권 있지만 직접 본인이 조현병임을 자각하고 그것을 글로써 표현해내는 사람은 드물다고 생각한다. 나는 나의 작가로서의 커리어가 생각보다 유니크함을 알고 있다. 한때 열심히 광고했던 '조현병 환우 작가'라는 타이틀도 이제는 조금 내려놓고 진정 다양한 주제로 사람들을 울고 웃게 만드는 작품을 만드는 작가가 되는 것이 나의 소망이다.

그러나 수급자라는 것은 나의 발목을 잡는다. 소득이 일정 이상 생기고 그것이 몇 달 유지가 되면 나는 영락없이 수급 자격이 박탈되어 안정된 일을 하지 않으면 안되는 처지에 놓여 있다. 그래서 나는 현재 9급 공무원 공부를 하고 있다. 장애 전형이 상대적으로 경쟁률이 낮기 때문에 나처럼 안정적인 상태에서 일자리까지 얻고 싶으신 분들에게 추천하는 일자리이다.

물론 공부라는 것이 한 번에 되는 것이 아니기 때문에 많은 시간을 들여야 하고 그만큼 노력을 해야 하지만 그럼에도 공무원이라는 안정적인 직군이 나를 기다리는 한은 계속 노력해서 도전해 볼 만 하다고 생각한다.
공무원이 되면 작가로서의 삶을 포기해야 되나 싶었지만, 공무원이 되어도 다행히 책은 허락만 있으면 계속 쓸 수 있다고 한다.
나는 공무원이 되면 하고 싶은 것이 많다. 그러나 일단 공부를 해서 합격을 한 다음에 생각해봐야 할 문제들이다. 나는 그러나 오늘 공부를 하지 않고 글을 쓰고 있다(웃음)

# 8. 나에게도 아직 남아있는 희망이 있음을 보며

나에게 희망이라는 단어가 남아있을까? 나는 있다고 생각한다. 나를 끔찍이 아껴주는 여자친구와 나를 생각해 주는 부모님과 가족들, 친구들이 있고 내 생활이 조금 안정되어 있다는 것이다. 나는 또 다른 기회를 꿈꾸며 이 책을 쓰고 있고 이 책일 잘 팔리기를 또 원하기도 한다. 이 책을 읽는 사람은 누구일까? 그리고 이 책은 얼마나 팔릴 것인가? 그리고 이 책을 종이책으로 구매하는 사람이 있을까? 등등의 수 많은 질문들에 아직 답변을 내리지 못한 채 나의 글들은 마무리가 되어 가고 있다.

나는 <당신에게 있는 희망을 발견하세요>라는 희망에세이를 쓴 작가이기도 하다. 나는 당연히 나에게 희망이 있다고 생각한다. 그리고 여러분에게도 희망이 있다고 생각한다. 이 책을 읽은 여러분도 아마 나와 같이 아픈 사람이거나 또는 그 가족이나 지인, 친구일 수도 있겠다. 모두 다 힘을 내길 바란다. 이 책은 내 경험을 드러낸 단순한 글일 뿐이지만 내 글을 읽으면서 힘을 내는 사람들도 분명히 있을 거라고 믿고 또 그러기를 바란다.

이 책은 이제 마지막을 향해 가고 있다. 우리는 항상

기억하자. 우리에게 희망이 있음을. 그리고 그 희망은 우리가 만들어 나가는 것임을!

나는 나에게 희망이 있다고 믿을 것이다.

당신은 어떤가?

당신도 나와 함께 희망을 믿어 보았으면 한다.

당신의 희망을 위해 나도 기도할 것이다.

# 맺는말

나름대로 간만에 책을 완성했다. 이 책을 쓰면서 나의 생각도 많아짐을 느낀다. 공무원 준비를 하면서 책을 쓰는 것에 소홀했지만 그래도 나는 엄연한 작가임을 느낀다. 내가 성장해 나가는 과정에 많은 독자들이 함께해 주었다면 좋겠지만, 그렇지 않아도 한 명의 독자가 있으므로 나는 작가가 되는 것이라고 믿는다. 글을 다 쓰고 보니 나의 기독교적인 생각이 책에 조금 들어갔을 수도 있겠다. 그러나 기독교를 강요하는 내용도 아니고 충분히 누구나 읽을 수 있는 수준으로 만들려고 생각하며 집필했기 때문에 많이 개의치 않는다.

책의 마지막을 장식할 마지막 멘트를 무엇으로 하면 좋을까?

나는 이 책을 구입하거나 읽고 계신 여러분에게 축복을 해드리고 싶다.

여러분은 앞으로 더 좋아질 수 있다.

여러분은 더 좋은 미래를 쟁취할 수 있다.

여러분은 더 노력할 수 있다.

여러분은 희망으로 가득 찰 수 있다.

여러분은 내가 소중히 생각하는 한 명의 독자이고 나

의 보물이다.

부디 어떤 어려움에도 맞서 이겨 나가는 강한 사람이 되시기를 바라면서 글을 마친다. 그것이 질병이든 가난이든 무엇이든 간에, 당신은 이겨낼 수 있다.

당신은 세상에서 가장 소중한 존재입니다.

감사합니다.

# 예수님과
# 함께한
# 천국 소원

# 인사말

안녕하세요. 프레이 작가입니다.
저는 최근(11월 초)에 그동안 1년 반 가량을 함께 지내며 울고 웃었던 여자친구와의 결별이 있었습니다.
더 잘해주지 못한 것이 있는가 싶기도 합니다마는, 저는 제 생각에 최선을 다해 그분을 사랑했었던 것으로 생각합니다. 그분이 저를 위해 감내한 모든 희생이 있었기 때문에 지금의 제가 있는 것이라고 생각을 합니다. 그러나 저는 이제는 이별의 아픔을 잊고 제 내일을 위해서 매진하고 정진하는 모습으로 세상 앞에 당당히 서기 위해 노력하고 있습니다.
이번 책은 기독교적인 색채가 많이 들어간 책이 될 것 같습니다. '천국'에서의 경험기라니... 그러나 천국은 제게는 멀리 있는 것이 아닙니다. 오늘 이 순간 이 자리에 계신 예수님과 함께 하는 삶이라면 천국은 바로 지금 이 세상에 이루어지고 있다는 것을 말씀드리고 싶습니다.
저는 최근에 <한국예술인복지재단>의 예술활동증명 심사를 마치고(2023.10.04) 정식으로 예술분야에서의 공인 작가가 되는 영광이 있었습니다. 저는 이 또한 하나님이 가져가셔야 할 영광이라고 생각합니다.
인사말에 제 최근 근황이 들어가서 조금 부끄럽기도

하지만 저는 최대한 솔직하게 글로써 여러분 앞에 서 있는 한 명의 작가로서 근황도 한번 말씀드려 보았습니다.
앞으로 제 인생과 제 글을 보시는 모든 분들, 그리고 보지 않으신 분들에게까지도 하나님의 보호하심과 예수님의 사랑이 함께 하시기를 기도 드리겠습니다.
그럼 짧은 인사로 인사말을 마무리하면서 책의 본문으로 들어가겠습니다.

2024.04.01.(월) 새벽 1시 35분
하나님의 역사하심을 믿는 프레이 작가 드림

## Part 1 - 천국의 입구에서

천국의 입구라고 표현을 해야 할까요?
그렇습니다. 이곳은 천국의 입구입니다.
천국을 경험해 보지 못한 모든 분들을
위해 천국 문 입구에서는 어떤 일이
벌어지고 있는지 개인적인 경험을
말씀드리고자 합니다.
이 글을 읽는 여러분들도 천국 문
입구를 보기를 바라면서 글을
쓰겠습니다.

# 1. 종교라는 것은

종교라는 것은 참으로 어려운 주제입니다. 종교를 가진 자와 가지지 않은 자로 나누어 볼 때 가진 자가 복을 받고 삶이 풍성해지는 경우도 있는가 하면, 종교가 없는 사람도 마찬가지로 그런 경우가 있는 것 같습니다.
그럼에도 종교가 있다는 것은 참으로 이로운 일인 것 같습니다. 현실의 모든 어려운 문제를 초월적 존재에게 의지하여 바라고 소망하는 모습이라는 것은 참으로 그 자체로 숭고하고 멋진 일이라고 생각합니다.
저는 수많은 종교 중에 기독교라는 종교를 믿고 의지하고 있습니다. 종교에서는 대체로 타인과의 어울려 사는 방법을 가르쳐주고 특히 기독교에서는 이웃사랑과 영혼 구원(전도)를 강조하기도 합니다. 이 책에서는 기독교적 표현도 조금은 들어갈 것 같습니다. 왜냐하면 이 책 자체가 기독교 에세이기 때문입니다.
기독교 에세이라는 편견이 있는 사람들도 있을 것입니다. 기독교 에세이는 말씀하고 신앙, 그리고 믿음에 대한 간증으로 가득할 것이라는 생각…
제가 쓸 이 책 또한 그런 내용이 들어가지만 저는 대중성에 초점을 더 맞추어 보려고 합니다. 하지만 기독교인이 보시기에 더 이질감이 없는 책이 될 것임을

저는 알고 있습니다. 하지만 다시 한번 강조하면, 이 책은 기독교 에세이입니다.(웃음)

## 2. 말씀의 중요성

말씀을 보지 않으면 어떻게 되는지 저는 잘 알고 있습니다. 물론 기독교이신 분들은 대략 어떤 느낌인지 아실 것입니다. 일단 신앙이 흔들립니다. 삶의 지표가 없어지는 느낌이랄까요? 사람이라는 존재는 무엇을 붙잡고 있을 때 안정감을 느끼는 존재이지 않나요. 그런데 말씀을 모르고 잘 보지 않게 되면 신앙이 매우 위태로워질 수 있습니다. 중심이 안 잡힌다는 표현이 더 정확할지도 모르겠습니다. 저는 저의 9번째 저서 <조현병과 함께한 지옥 탈출>에서 언급했듯이 20살이 넘어서야 교회에서 설교 말씀 때 보는 간략한 성경 구절을 보는 단계를 넘어서 시편 정도를 읽기 시작했는데, 그것마저도 제가 필요한 구절 몇가지 정도만 외우는 정도였고 제일 대표적으로 좋아하는 말씀은 저의 친할아버지가 좋아하시는 말씀인 '시편 제일권'이었습니다.

**[시편 제일권 내용 (개역 개정판)]**

**1 복 있는 사람은 악인들의 꾀를 따르지 아니하며 죄인들의 길에 서지 아니하며 오만한 자들의 자리에 앉지 아니하고**

2 오직 여호와의 율법을 즐거워하여 그의 율법을
주야로 묵상 하는도다

3 그는 시냇가에 심은 나무가 철을 따라 열매를
맺으며 그 잎사귀가 마르지 아니함 같으니 그가 하는
모든 일이 다 형통하리로다

4 악인은 그렇지 아니함이여 오직 바람에 나는 겨와
같도다

5 그러므로 악인들은 심판을 견디지 못하며 죄인들이
의인들의 모임에 들지 못하리로다

6 무릇 의인들의 길은 여호와께서 인정하시나
악인들의 길은 망하리로다

이처럼 좋은 내용이긴 하지만 성경의 전체 맥락을 모르는 저로서는 그냥 복을 받기를 원하는 마음과 악인들이 심판을 받기를 원하는 마음이 더 컸던 것으로 기억합니다. 소위 말하는 기복신앙이었던 것입니다.
사실은 최근(2023년 12월 초)까지도 성경을 제대로 통독을 해본 적이 없어 더 이상은 뭐라 말을 하기 힘들 것 같습니다. 그러나 말씀이 생활화되어 자신의 마음속에서 항상 길잡이가 되어줄 예수님의 가르침이라는 사실 정도는 알고 있기 때문에 말씀은 중요하다고 생각합니다.

## 3. 기독교에서 금기시하는 것들은

기독교에서 금기시하는 것은 대표적으로 중독에 관한 것들이나 부정한 것들(원한, 복수심 등)입니다. 일단은 중독이라고 하면 대표적으로 마약, 담배, 술 등이 있고 더 나아가면 음란물, 도박 등이 있습니다. 이것들의 파괴력은 대단하기 때문에 한번 중독이 되면 가정이 쉽게 파탄 날 수 있습니다. 마약에 중독된 사람을 난 아직 직접 본 적은 없지만 오히려 그게 다행이라고 생각합니다. 마약을 저에게 권유하는 상황은 오지 않으니 말입니다. 제 조현병 관련 저서를 읽었다면 제가 조현병에 걸렸음을 아시리라 생각하기 때문에 편하게 말씀드리면 저도 지금이야 웃으며 글을 쓰고 있는 상황이지만 급성기 때에는 환청이 들리기도 해서 마약이 혹시 이런 느낌일까 싶은 생각이 들기도 했습니다.

환청이 들리면 정상적인 사고가 되지 않습니다. 실제 소리와 가짜 소리(환청)이 구분이 안되면 정말로 조현병의 급성기가 막이 오르게 되는데 이때 바로 약을 드셔야 한다는 점을 강조하고 싶습니다.

어쨌든 중독에 대해서 다시 이야기하면 또 하나로는 담배와 술이 있겠습니다.(보통은 세트로 중독되기도 하는 것 같습니다) 저의 경우에는 술은 병 때문에 끊게 된 계기가 있었습니다. 왜냐하면 한번 거의 정상 수준까지 조현병의 증상이 좋아졌다가 술을 진탕 마시고 다시 급성기가 오는 재발을 경험하였기 때문입니다. 그래서 그 이후로는 술은 입에 대지 않으니 다행이라고 생각합니다. 저는 또한 B형간염이 선천적으로 있기 때문에 술은 저에게 정말 독약이었습니다. 그런데 술은 그나마 끊는 게 가능할 수 있다고 생각하는 저지만(술자리를 좋아하는 편이었지, 술 자체를 좋아하지는 않았던 것으로 기억합니다) 담배는 정말로 끊기가 어려운 것 같습니다. 심심해서 한 대, 즐거워서 한 대, 기분이 나빠서 또는 무료해서 한 대... 이렇게 수 만 가지의 이유로 피고 있기도 합니다.
가끔은 아무 이유도 없이 필 때도 있고 글을 쓰는 지금도 30분에 한번은 담배를 피우기도 합니다.
제가 피우는 담배는 타르 함량이 한 갑당 0.1mg인 담배로서 국내에서 가장 니코틴과 타르 함량이 낮은 것으로 알려져 있지만, 저는 그래도 담배를 끊고 싶은 마음이 크다고 하겠습니다.
사실 기독교인이 담배를 피우는건 이렇게 책에서나 할 얘깃거리이지 실제로 사람 대 사람으로 만나는 자리에서 교인끼리 그런 이야기를 하기는 힘듭니다.
어쨌거나 저는 금연을 목표로 열심히(?) 노력 중입니다.

여러분들도 이 책을 읽은 순간에 본인의 중독이 무엇이 있는지 점검해 보는 시간이 되면 좋겠습니다. 그리고 그 중독으로부터 자유로워지기 위한 노력을 하면 더욱 좋겠다고 생각합니다.
우리 모두 중독에서 자유로워지고 건전하고 바른 일상을 찾기를 바래 봅니다.

## 4. 참된 기독교인의 자세

이번 목차 또한 매우 어려운 목차가 아닌가 싶습니다. 참된 기독교인의 자세는 무엇일까요?...
개인적인 의견임을 일단 먼저 말씀드리면서 이야기 해본다면 첫째로 이웃을 사랑하는 자세가 있어야 하지 않나 싶습니다.
예수님이 성경에서 강조한 것은 영혼구원(전도)과 이웃사랑인데 이 중에서도 저는 단연 이웃사랑이 더 실천하기 쉬운 가르침으로 보고 있습니다. 전도는 실제로 매우 어려운 일인 것 같습니다. 누군가에게 제 종교에 대해서 이야기하거나 설명을 하여 교회에 참석하게 한다는 것, 또 그것이 계기가 되어 믿음을 가질 수 있게 한다는 것은 정말 하나님이 역사하지 않으면 할 수 없는 일이라고 생각합니다. 이 대목에서 제가 말하고 싶은 것은 그와는 대조적으로 이웃을 사랑하는 것은 우리가 얼마든지 실천할 수 있는 것이라는 점입니다. 서비스직 종업원에게 친절을 베푸는 일, 좁은 길에서 서로 비켜주는 일, 은행 등에 있는 불우이웃 돕기 성금에 천원이라도 모금하는 일 등등... 수많은 이웃사랑의 현장들이 우리 눈앞에서 기다리고 있습니다. 여러분들도 조금 더 타인을 사랑하면 더 좋은 세상이 여러분들에게 손짓할 것이라고 저는 믿습니다.

둘째로는 건전한 기도 활동을 꼽을 수 있습니다.
건전한 기도 활동은 무엇일까? 그것은 제가 생각하기로는 타인을 위한 기도, 하나님께 영광을 돌리는 기도입니다. 타인을 위한 기도는 여러 가지가 있는데 제가 속한 교회에서는 열방(세계)의 치유와 평화를 위한 기도를 릴레이 식으로 몇 년 이상을 24시간 이어서 하기도 합니다. 교회의 순기능이라면 아마 이런 것이 아닐까요?
약자와 평화를 위해 기도하고 이웃을 사랑한다면 더 나은 세상이 될 수 있을 것입니다.
그리고 저는 본인의 것을 기도로 구할 때에는 항상 하나님의 영광에 초점을 맞추고 기도해 보시라고 말씀 드리고 싶습니다.
무엇인가를 간절히 바라는 마음은 누구에게나 있습니다. 그러나 그것이 이루어졌을 때 신실한 기독교인이라도 '이것은 내가 열심히 해서 이루어 낸 결과다'라는 생각을 할 수 있는데, 저는 그 대목에서 이렇게 말하고 싶습니다. 그 목표를 달성하기까지 건강을 허락해 주신 하나님께 감사를 우선 해야 하지 않을까요? (웃음)

# 5. 아픈 자들을 위해

현대 사회에서 아프지 않은 사람들은 정말 축복을 많이 받은 사람들이라고 생각합니다. 반대로 아픈 사람들을 생각하면 저도 어서 그들이 낫게 되기를 소망하곤 합니다. 왜냐하면 저 또한 정신적인 아픔을 가진 사람이기 때문입니다. 아픈 자들을 위해 제가 할 수 있는 것은 어떻게 보면 글로서 약간의 위로를 줄 수 있다는 것뿐일 수도 있겠습니다.

만약 육체적으로나 또는 정신적으로 아픔을 가진 분들이 있다면 저는 이렇게 말해 드리고 싶습니다. 아픔을 통해 하나님이 하시는 일이 분명히 있을 거라는 생각입니다. 어떤 자에게는 내면의 성숙이 될 수도 있고, 어떤 자에게는 자신을 돌아볼 수 있게 되는 기회가 될 수도 있을 것 같습니다. 그리고 간혹 어떤 사람들에게는 하나님의 역사를 가르치거나 보여주기 위해서 아프게 하시는 일 또한 있을 것이라고 생각합니다. 내면의 성숙은 아픔을 겪으며 보통 많이 성장한다고 합니다. 내가 아픈 것을 경험하면 쉽게 타인의 아픔을 이해할 수 있기 때문입니다. 또한 아픔으로 인해 아까 말한 것처럼 자신을 되돌아보게 될 수도 있을 것입니다. 왜냐하면 '내가 아파서 혹시라도 이 세상을 떠나게 된다면 그때는 어떻게 될까?'라는 생각을 하게 될 수도 있을 것 같아서입니다. 한마디로 지난 세월을 돌아보게 된다는 것입니다. 그 과정에서 본인의 잘못된 점들이나 후회스러운 일들이 있다면 앞으로는 그냥 그렇게 살지 않기로 결심하고 또 노력하면 될 것입니다.

마지막으로 제가 말하고 싶은 것은 하나님의 역사하심을 보기 위해서 아플 수도 있다는 것입니다. 제가 속한 교회에서(특히 어머니의 교회 지인분께서) 정말 어이가 없을 정도로 갑자기 사고를 당하셔서 아픈 경우도 종종 있었습니다. 그러나 그분들이 간절히 기도하며 또 노력하면서 의사가 뇌사 판정을 내린 사람들도 기적적으로 회복으로 나아가는 것을 저는 여러 번 전해 들었습니다.

육체적으로 아프시거나 정신적으로 아프신 여러분이 희망을 포기하지 않으셨으면 좋겠습니다. 힘이 많이 드신다면 한 번쯤은 하나님께도 도움을 구해 보는 간절한 기도를 드려 보는 것이 어떨까 생각해 봅니다.

저 또한 아픈 자들을 위한 기도를 앞으로 생각이 날 때마다 해보려고 합니다.

## 6. 시련을 겪는 모든 이를 위해

저는 이 책을 집필하는 기회를 통해 시련을 겪고 있는 모든 사람들을 위로해 주고 싶습니다. 당신들 또는 당신이 겪는 모든 시련들은 당신을 더욱 성숙하고 강하게 만들어 줄 것입니다. 저 또한 정신적인 아픔으로 인해 정말 많이 힘들었고 지금도 아직 병이 진행 중입니다. 10년 동안이나 뛰어온 마라톤 여정에서 제가 버틸 수 있었던 것은 '내일은 오늘보다 나을 것'이라는 강한 희망을 잃지 않았기 때문입니다. 또한 앞으로도 저는 희망을 잃지 않고 마라톤을 끝까지 완주해 볼 생각과 각오로 삶에 임하고 있습니다. 제가 쓴 저서들을 한 번이라도 보신 분이라면 빠짐없이 제가 조현병 환우라는 것을 아실 것입니다. 저는 실제(오프라인) 생활에서는 병명을 잘 밝히지 않지만, 책을 통해서 글을 쓸 때만큼은 병명을 일단 밝히는 편입니다. 그 이유는 몇 가지가 있는데

첫째로는 아픈 사람이라는 것을 강조하기 위함이 아니라 아픈 사람도 이렇게 열심히 살고 있으니 당신 또한 힘을 내라는 취지에서입니다.

둘째로는 그로 인해 저처럼 정신적, 육체적 아픔을 겪는 사람이나 시련을 겪는 사람들이 힘을 내길 바라는 마음에서입니다.

저는 그들을 응원하고 싶습니다. 제가 썼던 희망 에세이에서도 희망을 정말 많이 강조하는데, 시련을 겪는 사람들에게는 더욱이나 희망이 필요하지 않나 생각해 봅니다.
여러분은 정말 열심히 산 사람들입니다. 모든 사람이 시련을 완전히 피해 갈 수만 있다면 얼마나 좋을까요? 그러나 시련은 우리에게 어김없이, 또 예고 없이 찾아옵니다. 그럴 땐 무언가 힘이 되는 것들을 찾아봐야 합니다. 저는 그것이 희망이라고 생각이 듭니다. 그리고 꼭 희망이 아니라도 그 시련을 담담하고 차분히 견디는 그 모든 모습들에 당신의 인내와 근성이 있다고 생각합니다. 모든 시련은 언젠가 끝이 날 것입니다. 그때가 언제이든 포기하지 않고 시련에 쓰러지지 않기를 저는 기도하겠습니다.

# 7. 신앙의 힘으로 극복하는 것들

신앙에 힘이 있다고 생각하시는 분이 있을까요? 저야 집안이 친가와 외가 모두 기독교라는 운명으로 세상에 태어났으니 기독교 신앙을 어렸을 때부터 접하고 자라왔습니다만, 그렇지 않은 사람 또한 반드시 있기 마련이니 조금 중립적으로 이 물음에 대해서 논할 수 있을 것 같습니다.
신앙이 있다면 좋은 점은 신앙이 일으키는 믿음과 소망으로 끊임없는 열정과 그로 인해 거의 항상 보이지 않는 힘을 얻을 수 있다는 점입니다. 신앙이 있는 사람들은 어려운 날에는 신앙에 의지를 할 수 있습니다. 비록 신앙을 의지한다고 해서 모든 것이 해결 되어지지는 않을 수 있지만, 내가 일단 의지할 수 있는 무언가가 있다는 점은 시사하는 바가 크다고 하겠습니다. 아무것도 의지할 수 없는 상태의 사람은 어떤 고난이나 슬픔, 또는 환난이 올 때 그것을 이겨내기를 몹시 힘들어 합니다. 그러나 신앙이 있는 사람들은 본인의 신앙에 상당 부분을 의지하며 항상 힘을 새로 얻는 것 같습니다. 한가지 예로 들고 싶은 것은 저의 어머니의 신앙입니다.
제가 한창 조현병에 대한 증상으로 망상과 현실을 구분하지 못하고 힘들어 할 때 곁에서 저를 봐주시는 부모님과 가족들 또한 힘들어야 했습니다. 그러나 이때 어머니는 신앙을 붙잡았습니다. 기독교 신앙을 가지고 있는 어머니는 본인이 할 수 없는 것은 신앙에 호소하고, 할 수 있는 것은 기도로 힘을 공급받으며 저를 10년이라는 시간 동안 보살펴 주셨습니다. 그 결과는 그래도 어느 정도는 성공했다고 볼 수 있습니다. 왜냐하면 제가 실제로 어느 정도 수준까지는 회복이 되어 이런 글까지 쓸 수 있는 단계로 발전하였기 때문입니다. 제가 글을 쓸 때 그 글을 완성해서 가장 먼저 보여드리고 확인을 받는 사람은 바로 저의 어머니입니다. 어머니는 제 글에 대한 조언을 아끼지 않으시고 저의 든든한 보조편집장으로서 또 보호자로서 계십니다.

저는 어머니의 신앙에서 정말 많은 부분을 배우고 느꼈습니다. 저의 생각이 깊은 면도 모두 어머니와 신앙의 힘 덕분이라고 생각합니다. 여러분도 이 책에서 이야기하는 신앙이라는 것에 한번 기대 보는 것은 어떨까 합니다.

# 8. 가르침 받은 대로 살고자 애쓰며

저는 태어나면서부터 기독교 신앙을 가지고 있었기 때문인지 유독 남을 배려하고 선한 일에 힘을 쓰려고 노력하는 자세로 살고 있습니다. 물론 그 과정이 쉽지는 않습니다. 남을 배려한답시고 불합리한 것까지 묵인하거나 제지하지 않았던 경우도 있었습니다. 그러나 이제는 그렇게 하지 않습니다. 그게 세월의 힘인 것인지 이 책을 집필하고 있는 38살(한국 나이)에는 무언가 깨달음을 얻었기 때문입니다.

그것은 바로 내가 불편한 것을 말하는 연습이었습니다. 그것을 제대로 할 수 있다면 자신의 감정을 소모하는 일이 적어지긴 합니다. 물론 때와 장소를 가려서 말하여야 하지만 말하지 않는 것 보다는 낫다는 것을 저는 여러 경험을 통해 배웠습니다.

그리고 여전히 선한 일에 힘을 쓰려고 노력합니다. 예를 들면 나쁜 말을 쓰지 않으려 노력하고 건강하고 올바른 정신이 유지되도록 마음먹고 애쓰는 것입니다. 그런데 그것이 생각보다는 어렵고도 쉬운 일인 것 같습니다. 기독교에서는 타인에 대한 사랑을 많이 강조하곤 합니다. 그래서인지 저는 저를 상대하는 모든 사람이 기분이 좋게 되기를 바라고 또 그렇게 노력을 합니다. 그렇게 함으로써 실제 분쟁을 부드럽게 해결하는 경우가 많았고 이것은 저의 가장 큰 장점이 되었습니다. 요약을 해보면 할 말을 하되 성격은 무난해진 것이지요. 저는 이런 제 성격이 꽤 마음에 듭니다. 특별하거나 힘든 순간들이 있지 않는 한, 아니 그렇게 될지라도 저는 이런 저의 장점과 성격을 유지하려고 노력할 것입니다.
그러려면 끊임없는 자아 성찰과 나에 대한 객관적 분석이 항상 따라야 합니다. 본인이 본인을 분석한다면 조금 삶이 피곤할 수도 있습니다. 그러나 이것은 다른 사람들과 어울려 살아가기 위한 하나의 방법이기도 합니다. 세상을 온전히 혼자 살 수 있는 사람은 거의 드물기 때문입니다.
기독교에서 강조하는 이웃사랑을 저는 이런 식으로 조금씩 실천하고 있습니다. 여러분도 힘이 많이 들지 않다면 이런 식으로 발상이나 생각의 전환을 해보시는 것을 추천해 드립니다.

## 9. 신앙의 한계점

그러나 제가 가진 기독교의 신앙도 한계점이 있다고 봅니다. 그것은 바로 신앙을 가진 주체가 바로 인간(사람)이라는 점인데요, 사람은 끊임없이 실패하고 또 좌절하는 존재이기 때문입니다.

기독교 신앙의 요소를 볼 때 남을 배려하고 사랑하며 도와주려고 애쓰는 모습이 계속 잘 진행이 되다가 그것이 잘 안되는 시기가 오면 보통은 좌절을 맛보게 됩니다. 저 또한 신앙적인 신념으로 좋은 감정으로만 대하려고 했던 사람들에게 실망을 한 적도 많습니다.

신앙의 한계점은 이 때 신앙이 마음의 중심에 굳건히 자리를 잡지 못하고 방황할 수 있다는 것입니다.

그럴 때는 누군가 나를 위로하거나 조언해 줄 존재가 필요해지는 때가 오는 것입니다. 저는 그래서 그 사람을 멘토라고 가끔 지칭하고 조언을 들으러 물음을 던지기도 합니다. 멘토라고 하면 인생에서 좋은 조언을 해줄 수 있는 사람을 말하는데, 제 가장 큰 멘토는 바로 어머니입니다. 어머니의 신앙은 저보다도 몇 배 정도 강하다고 생각이 됩니다. 저는 어머님의 성격적 해석과 가르침, 그리고 교회에서 배운 세상에 대한 지식을 많이 활용합니다.

사실 성경에는 세상을 살아갈 때 필요한 지혜가 많이

들어있기도 합니다. 이것은 어떻게 증명할 수 있는가 물어보신다면 유명한 성경의 한 부분을 소개하면 될 것 같습니다. 바로 '잠언'입니다. 저는 잠언을 여러 번 읽기도 했습니다. 저도 비록 완전한 성경 통독은 아니지만 그래도 그 안에 있는 지혜와 말씀을 여러분이 보시게 되면 조금 놀라실 것입니다. 2000년 전의 세상과 지금의 세상이 별반 다른 원리로 돌아가지 않는다는 것을 느끼실 수도 있을 겁니다.
또 다른 신앙의 한계점은 바로 눈에 보이지 않는 것을 믿어야 한다는 것입니다. 하나님의 말씀을 믿는 정상적인 기독교 신도들에게는 하나님이 살아계신다고 생각되고 그렇게 느낄 겁니다. 그러나 무신론자들은 '보이지 않는 것을 어떻게 증명하고 믿는가?'라는 물음을 항상 던집니다.
하지만 저는 그 해답이 성경에 있다고 생각합니다.
유명한 성경 말씀을 한 구절 소개하겠습니다.

**[요한복음 21장 29절(개역 개정판)]**

**예수께서 이르시되 너는 나를 본고로 믿느냐**
**보지 못하고 믿는 자들은 복되도다 하시니라**

## 10. 기독교의 참된 역할

그렇다면 기독교의 참된 역할은 무엇일까요? 이번 주제는 꽤 어려운 내용 같습니다. 기독교에서 강조하는 타인을 위해 사랑하고 노력하는 자세는 세상에 정말로 도움이 되는 행위이기는 합니다.
저는 기독교에 참된 역할은 정말 형편이 어려운 국가에 선교나 후원을 해서 배고픔이나 질병 등에서 벗어나게 함으로써 지구에 사는 모두가 공평하게 배고프지 않고 아프지 않게 되기를 바라는 기독교의 방향성 자체에 답이 있다고 생각을 합니다.
기독교만 그런 것은 아닙니다. 다른 종교도 그렇게 많이 하지만 유달리 기독교는 선교와 후원을 통해 복음을 널리 알리려 노력하곤 합니다.
그것은 예수님의 말씀이기도 합니다.

**[사도행전 1장 8절(개역 개정판)]**

**오직 성령이 너희에게 임하시면 너희가 권능을 받고 예루살렘과 온 유대와 사마리아와 땅끝까지 이르러 내 증인이 되리라 하시니라**

제가 소개한 구절 외에도 예수님께서 복음을 전파하

라고 하시는 말씀이 여러 번 나오지만 가장 이 책의 목적에 맞게 쓰인 성경 구절을 참조해 보았습니다.
이 책은 다시 한 번 말씀드리지만 기독교 에세이입니다.(웃음)
어쨌든 기독교 신앙을 가지고 정말 좋은 믿음을 가지거나 실제로 하나님의 역사하심을 경험한 사람은 선교와 후원 또는 복음 전도에도 열심히 임하는 것 같습니다. 그 중에서도 해외 선교나 정기 후원이 기독교의 제일 큰 업적이자 내세울 수 있는 장점이라고 생각을 해 봅니다.

## Part 2 - 천국 문이 열리다

천국 문이 열린다는 표현은 조금 과장일
수도 있겠습니다. 그러나 저는
현실에서도 천국에서 지내는 것처럼
지낼 수 있다고 생각을 하는
사람입니다.
저는 오히려 정신적인 아픔을 겪으며
평범한 것들의 소중함과 귀함을
온몸으로 배웠습니다.
우리가 생활하고 살아가는 바로 지금이
우리에게 지상에서의 천국 문 안쪽의
생활일 수 있다는 이야기를 하려고
합니다.

## 1. 기독교라는 울타리보다 더 중요한 것

저는 기독교라는 종교에 대해 여러분들이 생각하시는 것 보다는 이해를 많이 하고 있는 것 같습니다.
왜냐하면 집안이 기독교 집안이기 때문입니다. 저희 친가의 할아버지의 형제들 중에는 목사님도 있고 외가에도 교회 장로님들 같은 분들이 있기도 합니다.
저 또한 아시는 분은 아시겠지만 기독교라는 울타리를 태어나면서부터 경험한 사람이기도 합니다. 지금 이 목차에서는 저는 이것을 말씀드리고 싶습니다. 기독교라는 울타리보다 중요한 것은 바로 '기독교인임에 부끄럽지 않은 인생을 살고 있는 것인가' 항상 스스로 물어보는 것이라는 걸 말입니다.
저는 요즘 기독교 신앙을 가지신 분들에 대한 곱지 않은 시선을 많이 느끼는 것 같습니다. 왜냐하면 성경적 가르침이나 예수님의 말씀을 따라 살지 못하신 기독교인 분들을 보고 실망하거나 하는 일들이 많이 발생하고 있기 때문입니다. 그러나 이는 어떤 사람이 되었던 간에 타인의 평가로부터 자유롭지 못하다는 이야기도 될 수 있을 것 같습니다.
저는 제 자신에게 가끔 이런 질문을 통해 내가 진짜로 '신실한(신앙심 있고 진실된)' 기독교인인가 생각해 보고는 합니다. 이것은 기독교인들에게는 꽤나 어렵기도 한 주제입니다. 왜냐하면 예수님처럼 살지 못하는 인간이라는 연약함이라는 것을 타고난 존재로서 단지 그렇게 따르도록 인생에 있어서 노력을 할 뿐이기 때문입니다.
사람은 완전하지 않습니다. 그러므로 항상 노력을 필요로 합니다. 저는 기독교인들에게 '완벽한' 모범이 되려고 하기보다는 '열심히' 노력하는 인생관을 가지시는 것을 추천합니다. 저도 물론 그 노력하는 사람 중에 하나입니다. 저는 최근까지도 상당량을 피우던 담배를 끊으려고 작정을 했습니다.
오늘을 기점으로 또 금연에 도전하고 있습니다.
만약에 실패한다고 해도 성공할 때까지 도전할 생각입니다. 여러분들도 어느 정도는 저와 같은 노력을 해보시는 것도 좋을 것 같습니다.

## 2. 어느 곳에서도 포기하지 않는 믿음

이번에는 저의 이야기가 많이 들어가는 목차가 될 것 같습니다. 저는 조현병이 발병하기 전부터 신앙적인 부분에 많이 의존을 했습니다. 그리고 조현병이 발병되고 나서도 의지를 많이 했습니다. 어떨 때는 연약하게도 신앙적인 모습이 거의 없어질 뻔도 했습니다.

그러나 저는 '믿음' 만큼은 포기하지 않았습니다.

그것이 바로 제가 가진 가장 큰 신앙적 장점입니다. 저는 <하나님의 조현병 수업>이라는 제 저서에서 밝혔듯이 하나님이 저를 보호하신다는 믿음을 정말 굳건히 가지고 있습니다.
그리고 그 믿음으로 인해 병마의 싸움에서 비로소 승기를 잡을 수 있었습니다. 물론 주위의 관심과 가족들의 보살핌은 절대적으로 필요합니다.

잠시 종교적 이야기를 하겠습니다. 기독교 신앙이 있으신 분이라면 어느 곳에서도 믿음만큼은 포기하지 마시길 바랍니다. 그게 어떤 절망적인 상황이 되었건 간에 하나님은 여러분을 끊임없이 사랑하고 계신다고 믿으시길 바랍니다. 그로 인해서 저희는 끊임없는 힘을 공급받을 수 있습니다.
제 주변에는 어머니가 가장 대표적으로 포기하지 않는 믿음을 가지신 것 같습니다. 저는 어머니의 신앙에서 많은 교훈을 얻습니다. 제가 병마로 힘들어할 때도, 어머니가 신앙적으로 흔들리는 상황이 와도, 어머니는 절대로 믿음만큼은 포기하지 않으셨습니다.

여러분도 이와 같이 믿으시면 좋겠다는 생각을 해 봅니다. 제가 속한 교회의 올해 표어는 참고로 '살아내리, 살아나리'입니다. 이 뜻을 잘 생각해 보시면 좋을 것 같아 소개해 드립니다.(웃음)

## 3. 하나님의 살아계신 역사하심

하나님의 살아계신 역사하심은 사실 쉽게 경험하긴 힘들지만 저는 그것을 이미 경험했다고 생각합니다.
왜냐하면 심각한 정신병(조현병)에서 약간은 안정적으로 생활할 수 있을 만큼 정신적으로 안정이 되었기 때문입니다.
제가 속한 교회에서는 저를 위해 정말 기도를 많이 해주셨습니다. 이 책을 통해서 저는 그분들께 많은 감사를 드리고 싶습니다. 또한 그런 덕분일까요? 저는 기적적으로 일상으로 돌아올 수 있었습니다. 이런 기독교 에세이를 쓰는 이유도 저는 회복 시켜주신 하나님께 영광을 올려드리기 위함입니다.
또한 저에게 글쓰기의 재주를 허락하셔서 지금 이 책까지 10권의 저서를 집필하게 해주신 역사하심이 아마 우연은 아니라고 생각이 됩니다.
저는 아픔으로 인해 성숙해지며 단단해지고 신앙적으로도 굳건해지고 있습니다.
그로 인해 책으로나마 하나님의 역사하심과 살아계심, 그리고 할 수 있다면 이 책을 읽으시면서 기독교라는 종교에 조금은 호감을 느끼실 수 있게 만들고 싶기도 합니다. 앞으로도 저는 열심히 살 것입니다. 하나뿐인 이 목숨이 다할 때까지 위대한 선교사님들이나 목사님 같은 사람이 되지 못할지라도 저는 제가 할 수 있는 한은 하나님의 사랑을 전파하고 싶은 것입니다.
이 글을 읽으시는 여러분에게도 기적과 같은 하나님의 살아계신 역사하심으로 인해 기독교에서 말하곤 하는 '인격적 하나님'을 만나실 수 있기를 기도하겠습니다.

## 4. 예수님의 가르침과 어머니

제 주변에서 가장 예수님의 가르침을 잘 실천하시는 분이 있습니다. 목차의 제목과 같이 바로 제 어머니이신데요. 어머니께서는 타인과 지인을 배려하는 마음과 전도에 대한 열정, 그리고 성경 읽기를 통한 깨달음을 얻으시며 날마다 성장해 가시는 것 같습니다.
전도는 그럼 어떻게 하고 있는지 이야기해 드리겠습니다. 제가 속한 교회에서는 '전도대(원)'이라는 활동이 있습니다. 쉽게 말하면 거리에 구역을 맡아서 전도를 하러 다니는 일련의 규칙성 활동입니다.
전도라고 해도 강요를 하지는 않고 준비된 소책자나 소량의 먹을 것을 소분해서 각자 맡은 구역의 낯선 사람들에게 교회 출석과 성경 읽기를 권면(권유)하는 모습으로 진행이 됩니다.
전도는 제가 생각하기로 기독교에서 실천하기 가장 어려운 행동인 것 같습니다. 앞서 이야기를 드린 바와 같이 누군가에게 새로운 신념이나 믿음을 전파한다는 것은 보통 일이 아닙니다.
그러나 제 어머니는 그 활동 자체에 기쁨을 많이 느끼셔서 벌써 수 년째 실행하고 계십니다.
그렇게 열정적인 분이 나이(현재 만 65세)에 비하면 왜 수 년 밖에 전도를 못하셨을까요? 그 이유는 바로 제가 아픈 이후로 전도에 사명감을 가지게 되셨다는 것입니다. 제가 아프면서부터 어머니는 다른 활력소를 찾으려 노력하셨는데, 신앙이 좋으신 어머니가 선택한 것은 노방(야외)전도 였습니다.
제가 다니는 교회는 전국에서 거의 손꼽을 정도로 규모가 있는 편이어서 조직력이 매우 좋은데 그런 환경에 있다 보니 자연스럽게 전도를 하시게 된 것 같습니다.
어머니는 전도에 열정적으로 임하지만 권유의 미덕을 잊지 않고 계십니다. 제가 들은 바로는 전도를 싫어하시는 사람에게는 굳이 전도 자료를 드리지 않는 점이 특징입니다.
그러면 그런 사람들에게는 무엇을 줄 것 같으신가요? (웃음)
바로 소량의 먹을거리나 생활용품 같은 것을 드린다고 합니다. 그것은 교회에 대한 인식을 좋게 하려는 의도가 있다고 볼 수 있겠습니다. 그러나 오지 않는 사람에게도 조금의 도움을 줄 수 있다는 생각으로 나누어주는 것에 대한 기쁨을 느끼신다고 합니다.

또 하나는 제가 가장 약한 부분인 '성경 읽기'입니다. 이것은 제가 한 번도 성경 통독(완독)을 하지 못한 부분하고 대비되는데 저희 어머니는 많은 횟수로 성경

을 통독하고 계십니다. (최근에도 계속 읽고 계십니다)
어머니는 단순하고 반복적인 이 행위를 통해 많은 성경에 나오는 깨달음을 얻으신 것 같습니다. 성경을 매일 3장씩 읽으면 일년에 한번 성경을 통독하게 됩니다.
그래서 저는 어머니로부터 지혜를 공급받기도 합니다. 어떤 일이 발생하면 가장 먼저 달려가서 어머니의 성경적 가르침과 그 안에 있는 지혜를 배우려고 노력하고 있고 실제로 서로 대화 자체도 많은 편입니다.

저도 이번 년도부터는 성경을 조금씩 읽기 시작했습니다. 성경은 구약과 신약이라는 구분이 있는데 구약은 성경을 처음 보시는 사람은 조금 읽기에 어려운 면이 있다고 하셔서 신약을 우선 읽고 있는 상황입니다.

예수님의 가르침이라면 성경 말씀과 이웃을 사랑하고, 영혼 구원(전도)을 하는 것이 대표적인데 어머니는 참 열정적이게도 두 가지를 다 하고 계신 것입니다.
같은 한 명의 기독교인으로서 저도 그런 어머니의 신앙적 자세를 본받으려고 합니다.(웃음)

## 5. 나를 포기하지 않는 사람들

저는 제 9번째 도서인 <조현병과 함께한 지옥 탈출>에서 많은 좌절을 겪은 일들을 공개했습니다.
그러나 제가 지금까지 작가로서 활동하며 일상을 유지하기 위해서 도움을 주신 분들에게 감사를 표하는 것이 옳은 일이라는 것을 잘 알고 있어서 이 목차를 준비해 보았습니다.
일단 가장 먼저 하나님께 감사를 드립니다.
제가 몸이 아프지 않고 정신적으로 핸디캡이 있어도 작가로 살 수 있게 해주신 덕분에 저는 많은 깨달음을 얻고 또 직업에 만족하며 살아갈 수 있었습니다.
그 다음으로는 제 도서에서 많이 언급한 바와 같이 어머니(가족들)에게 고마움을 느낍니다. 가족들의 응원이 없었다면 이렇게 10번째 책을 낼 수 없었을 것이고, 조현병과의 사투에서 호전도 되지 못했을 거라고 생각이 많이 듭니다.
그리고 제 병에 대해 알고 있으면서도 제 곁을 떠나지 않았던 모든 친구, 지인들에게 감사를 전하고 싶습니다. 이제 정말로 친한 친구는 병으로 인해 상당수가 떠났지만, 그럼에도 아직 연락을 주고 받는 친구가 있다는 것은 정말 인간적인 마음으로 다행이라고 생각이 듭니다.

감사할 것이 또 하나 있습니다.
바로 우리나라 대한민국에 태어난 것에 감사합니다.
우리나라의 복지 시스템이 없었다면 저는 절망 속에서 허우적대다가 비참하게 쓰러졌을 것입니다.
휴전 국가이지만 그래도 치안이 좋은 편인 한국에서 태어난 것이 좋은 이유는 정보의 속도에 있습니다.
조현병은 많이 알수록 안정될 확률이 높고 무언가 깨달을 확률이 높은 병인 것 같습니다.
그래서 제가 책을 써서 다른 환우들이 회복될 수 있는 어떤 계기를 만들어 보려고 하는 것입니다.

이렇게 나열해 보니까 감사한 것들 투성이네요.

앞으로도 저는 이렇게 감사한 마음을 안고 또 작가로서 집필에 노력하는 사람이 되려고 합니다.

## 6. 내가 가진 재주를 올바로 사용하다

저는 처음 책을 집필했을 때의 열정을 아직까지는 가지고 있는 것 같습니다. 이전에는 저와 같은 처지에 있는 조현병 환우들을 위한 책을 많이 만들었지만, 이제는 일반 에세이의 영역으로 더 작품의 세계관을 넓힐 필요가 있다고 생각합니다.

이제는 일반인들이 보시기에 전혀 무리가 없을 내용으로 제가 집필할 책들의 내용을 채워가고 싶은 욕심이 있습니다.
일단 크리스찬인 저는 기독교 에세이인 지금의 이 책을 마지막으로 기독교 에세이를 더 낼지 말지를 심사숙고 하고 있기도 합니다.
그리고 각각 7권의 시리즈로 구상된 다른 장르의 소설을 구상 중이기도 합니다.
왜냐하면 '에세이'라는 장르는 본인의 경험이나 지식을 기반으로 써야 하는 것인데, 그것은 개인마다 한계점이 분명하기 때문입니다.

제가 앞으로 쓸 소설 분야에 대한 도전이나 활동도 긍정적으로 봐주시면 정말 감사하겠습니다.

## 7. 책 쓰기를 통해 배운 것들

저는 처음 제가 쓴 책인 <조현병과 크리스찬>이라는 책을 쓰기 전까지는 제가 작가가 될 수 있다는 생각을 전혀 하지 못했습니다. 그러나 책을 출간하고 나서 저에게 하나님께서 허락하신 글쓰기의 달란트가 있다는 것을 어렴풋이 느낄 수 있었습니다.
그리고 그게 이어져 작가로서의 삶을 살고 있고 현재 10번째 책을 집필 중이기도 합니다.

제가 책 쓰기를 통해 배운 것들은 몇 가지 있습니다.

첫 번째로는 자서건 격의 에세이를 쓰면서 자기 자신의 감정에 대해 더 자세하게 알게 되었고, 고통스러웠던 과거에 대한 회피보다 직면을 하게 되면서 내면이 더 성숙해지고 담대해진 것 같습니다.

두 번째로는 직업이 생겼다는 기쁜 마음이 생겼습니다. 지금은 직업적인 자부심이 큰 상태입니다. 저는 그래서 지금은 저를 소개할 때 작가라고 소개하기도 합니다. 조현병을 앓고 있어도 어엿한 직업이 있다는 것이 너무나 기쁜 마음입니다.

세 번째로는 책을 읽는 사람의 감정까지 고려하려다 보니 더욱 타인에 대해 관대해지고 이해심이 많아졌다는 것입니다. 그럼으로써 저와 다른 양상이나 성향의 사람들까지 비판적으로 보지 않게 되는 현상이 생겼습니다.

네 번째로는 말 그대로 책 쓰기를 통해서 인생을 낙관적으로 바라보고 또 나름의 교훈을 얻는다는 점입니다. 병적인 증상 완화에도 많은 도움이 되었습니다. 여러분도 꼭 책 쓰기 활동이 아니더라도 자신이 생각하는 것들을 글로서 정리해 보는 습관은 한 번 쯤은 가져보시길 바랍니다.

저는 단언컨데 글쓰기가 여러분에게도 많은 도움이 된다고 생각합니다. 일단은 본인의 과거와 현재, 그리고 미래에 하고 싶은 일 등을 일기를 쓰듯이 시작하는 것을 추천해 드립니다.

## 8. 세상은 당신의 생각보다 밝습니다

저는 세상이 어둡다고만 생각하진 않습니다. 바꿔 말하면 세상은 생각보다 밝게 빛나고 있다고 믿습니다.
어려운 환경에서도 남을 도우려는 선한 영향력을 가진 사람은 쉽게 찾을 수 있습니다.
전 세계의 우리보다 형편이 좋지 않은 나라에 후원이나 기부를 하는 모습에서, 교회라면 불우이웃을 돕는 헌금을 하는 사람들에게서, 그게 아니라면 우리 주변에서 안부를 묻는 모든 사람들, 우리를 걱정해 주는 사람들, 희망을 가지고 살아가는 모든 사람들에게서 저는 세상이 밝다고 느끼곤 합니다.
이 책을 읽는 여러분들도 세상이 당신의 생각보다 밝다고 생각을 한번 해보시는 건 어떨까 합니다.
또한 선한 영향력을 가진 사람들을 언젠가 마주하게 될 날이 오면 제가 한 말들의 뜻을 아시게 될 것이라고 생각합니다.
저는 사람의 성향은 선천적으로 선하다고 믿습니다.
타고난 환경에 의해 비관적인 사람이 되었다고 해도, 그 안에 숨어있는 밝은 면과 이타적인 마음이 남아있는 사람이 더 많다고 믿습니다.
남을 이해하고 배려하는 마음! 우리도 노력하며 세상을 더 밝게 만들어 봅시다!

## 9. 모든 것이 새로워요

저는 또래에 비해 풍파를 많이 겪은 사람이라고 생각합니다. 많은 것에 도전해 보았고 많은 실패를 하였고, 그래도 아직도 제 꿈을 향해 도전하고 있습니다.
요즘 저는 모든 것이 새롭다는 생각을 많이 합니다.
그것은 작가가 되도록 지혜를 허락해 주신 하나님께서 그렇게 하신 것이라고 믿습니다.
작가가 되면서 세상을 보는 시각이 조금은 더 밝아진 면이 많아서일지도 모릅니다.
저는 이 새로운 마음가짐으로 제가 할 수 있는 한까지 계속 도전하며 항상 정진해 보려고 합니다.
그리고 그 시작은 제 열 번째 저서인 이 기독교 에세이를 집필하며 이미 진행되고 있음을 느낍니다.
제게 새로운 삶의 기회를 열어주신 하나님께 이 책을 통해 감사를 드립니다.
작가가 되기 전보다 자신감을 많이 되찾게 되기도 하였고 일전에 쓴 첫 번째 기독교 에세이인 <하나님의 조현병 수업>을 집필하면서 신앙적인 성숙도 있었던 것 같습니다. 지금 쓰는 책은 그보다 더 정성을 들이고 있지만 판단은 아마 독자님들께서 하시는 거겠지요. 많은 분들이 유익하게 보실 수 있는 책이 되기를 바래 봅니다.

## 10. 난 함께가 좋아

<조현병과 함께한 지옥 탈출>을 집필할 당시는 제가 '나는 혼자가 좋아'라는 생각을 많이 했던 것 같습니다. 그러나 지금은 약간의 호전이 되었는지 함께 무언가를 할 수 있는 사람이 있으면 좋겠다는 생각을 해봅니다.
그동안 독고다이(고집있는 외길)의 길을 걸어왔으니 이제는 타인들과 어울리며 정서적 교류를 하고 싶다는 생각이 많이 드는 것 같습니다.
앞으로 저는 어디에서 어떤 사람들과 교류하며 어울리게 될지 모르겠지만, 제 증상이 조금 더 호전이 되고 생활수준이 안정이 되는 시점에서는 과감하게 다시 교회의 문을 두드려 볼 수도 있을 거 같습니다.
저는 사실 크리스찬으로서 교회와 예배, 공동체 생활에 대한 갈망이 많은 편입니다. 그래서 얼마 전 어머니를 따라 특별 새벽기도회에 한번 다녀왔습니다.

그런데 이게 웬일입니까? 교회의 입구에 다다르자 눈물이 핑 도는 것입니다.
저는 그때 제가 생각보다 예배를 갈망하고 그리워 하고 있음을 많이 느끼게 되었습니다.

## 11. 남을 도와주는게 너무 좋아

저는 선천적으로 남을 돕는 것을 좋아하는 사람인 것 같습니다. 다른 사람에게 용기와 희망, 위안과 위로를 줄 수 있을 때 행복함을 느끼기도 합니다.

그래서 제 책의 이야기들은 모든 작품에 희망적인 메세지를 포함하고 있습니다.
설령 그것이 조현병에 관한 책 일지라도 말입니다.

그리고 지금 제가 쓰고 있는 나름의 기독교 에세이도 초심자나 일반인들이 읽기에 좋은 내용으로 채워가 보려고 노력했습니다.
그래서 이 책이 누군가에게 도움이 될 수 있다면 정말 기쁠 것 같습니다.

그게 잘 되었는지는 저도 잘은 모르지만 평가는 이 책을 읽으시는 독자 분들이 하시는 것이므로 그만 말을 줄여야 겠습니다.

이 책을 보시는 여러분이 조금이나마 신앙적으로 도움이 되며, 위로와 평안을 얻을 수 있기를 바래 봅니다.

# 12. 난 책쓰는게 좋아

10번째 책을 쓰면서 저는 정말로 작가로서의 입지를 다졌다는 생각이 듭니다.
저는 책을 쓴다는 것 자체가 너무나 즐겁습니다.
저의 생각이 많이 들어간 에세이를 읽어주시는 독자분들이 있는 한은 제 저서 <무명작가에게도 봄날이 올까요>에서 밝힌 바와 같이 힘이 되는 날까지 도서 집필에 힘을 쏟아 보려고 합니다.
또한 단 한 권의 책이 판매가 되더라도 저는 매우 기쁨을 느낍니다.
이 책을 집필하는 지금은 이제 저도 어쩔 수 없는 전문 작가가 된 것일까요?(웃음)
저는 작가로서 다양한 주제를 가지고 여러 도전을 더 해보고 싶습니다. 작가로서의 욕심이 있다면 출간 기념 행사를 꼭 한번은 해보고 싶네요.

그리고 정신적인 어려움을 겪는 모든 사람들에게 글쓰기를 권하고 싶습니다.
글쓰기를 하면 생각이 많이 차분해지며 중구난방이던 잡념들이 정리가 되는 것을 느낍니다. 여러분도 과거와 현재, 그리고 꿈꾸는 미래를 글로서 적어 보는 것도 좋을 것 같습니다.

## 13. 세상의 참된 즐거움을 깨달으며

현재 한국 나이로 38세인 저는 이 책을 집필하면서 조금은 세상의 소소하고 참된 즐거움을 깨닫고 있는 것 같습니다.
평범한 것의 소중함과 꿈꾸는 미래와 비전을 아주 조금씩 만들어 가며 그것에 가까워지는 삶을 살고 있기 때문입니다.
여러분들도 가슴속에 간직해 둔 꿈이 있다면 그것을 위해서 아주 조금씩이라도 도전과 시도를 해보는 것을 저는 추천해 드립니다.
그리고 소소한 행복과 당연하고 평범한 것의 소중함을 한번 느끼는 시간을 가져보시는 것도 좋을 것 같습니다.
그래서 저는 앞서 제가 소개한 대로 꿈을 그려갈 수 있는 방법을 제시하고자 합니다.

첫 번째로는 과거의 미련과 후회를 적어봅니다. 그리고 그것들로 인한 나의 감정을 느껴보고 있는 그대로 적어 봅니다. 그런 다음에는 그 감정을 어떻게 해소할 것인지도 한번 적어 봅니다.

두 번째로는 열심히 노력하고 도전했지만 실패한 경

험을 생각 나는 대로 적어 봅니다. 그리고 그것을 통해 깨달은 점들을 기록해서 다시 반복적인 실수를 하지 않도록 머릿속에서 그것들을 정리하는 시간을 가집니다.

세 번째로는 현재 내가 하고 있는 도전과 시도에 대해서 적어봅니다. 그리고 그 도전을 위해 노력한 모든 것들을 나열해 보고 그 노력을 한 자신에게 후한 점수를 줍니다.

네 번째로는 내가 꿈꾸는 미래나 인생의 목표가 있는지 점검해 봅니다. 꿈이 없어도 목표는 있기 마련인데 이것을 찾는 연습을 하는 것입니다.

네 번째까지 다 실행을 하셨다면 이제 자신에게 가장 잘 맞는 자신만의 솔루션을 발굴해 봅니다.
이 때 주변 어른이나 신뢰할 수 있는 가족 또는 지인, 친구에게 조언을 구해 봅니다.

신뢰할 수 있는 사람이 없다면 유료 심리상담이나 고민 상담 또는 적성 검사 등도 한 번 쯤은 해볼 수 있겠습니다. 이를 통해 자신이 원하는 인생의 목표나 꿈이 무엇인지를 아시는 기회가 되기를 바랍니다.

## 14. 이 생활을 유지하고 싶어

저는 작가로서의 이 생활과 일상, 그리고 꿈을 향해 아주 조금씩이지만 전진하는 이 순간이 정말로 행복합니다.
여러분도 앞의 목차에서 소개한 대로 연습을 하시다 보면 본인이 진짜로 원하는 인생이 어떤 것인지 아시게 될 것이라는 생각이 듭니다.

제가 원하는 삶은 타인에게 베풀고 저도 성장하는 삶입니다.

그 꿈을 언젠가 이룰 수 있다면 가장 좋겠지요.
그러나 지금도 충분히 제가 원하는 대로 살고 있는 욕심꾸러기 작가 이기도 합니다.(웃음)

제가 만들 수 있는 미래는 한정적이지만 함께 그리고 같이 성장할 사람들과 미래를 꿈꾸고 있다면 언젠가는 그 꿈에 도달하리라 긍정적인 시선으로 모든 것에 임하고 있습니다. 여러분들도 이런 긍정적인 마인드를 가지시기를 바래 봅니다.

## Part 3 - 천국을 경험하며

천국이라는 것이 진짜로 있을까요?
저는 천국이 존재한다고 믿지만 본 적이
없어서 그것을 설명하기 힘들 것이라고
생각한 적도 많았습니다.
그러나 천국은 먼 곳에 있지 않음을 이
책을 집필하며 깨닫고 있기도 합니다.
이 세상이 천국이라면 그 이유가
무엇일까요?
이 세상에서 맛보는 현실에서의 천국은
어떤 모습인지 저의 생각을 글로서 적어
보겠습니다.

## 1. 약속과 믿음

약속의 말씀이 있다면 어디서 찾아야 할까요?
기독교인이거나 기독교에 관심이 있는 분들이라면 성경을 한번 읽어보시는 것을 추천해 드립니다.
저는 올 해 저희 교회에서 하는 신년 행사인 '올해 나에게 주시는 말씀'이라는 성경 구절이 적힌 신년 기념 카드를 한가지 골라 가져온 바가 있습니다.
성경에는 약속의 말씀이 많은데, 저는 이번 년도에는 아래와 같은 말씀을 믿어 보려고 합니다.

[이사야 12장 2절~3절(개역 개정판)]

**2 보라 하나님은 나의 구원이시라 내가 신뢰하고 두려움이 없으리니 주 여호와는 나의 힘이시며 나의 노래시며 나의 구원하심이라**

**3 그러므로 너희가 기쁨으로 구원의 우물들에서 물을 길으리로다**

성경에는 수많은 예언과 약속, 그리고 예수님의 가르침과 믿음에 관한 많은 일화들이 가득 차 있습니다.

믿음은 보이지 않는 힘이기도 하지만, 때로는 보이지 않기 때문에 찾기도 어려운데요.
유명한 성경 구절 중 하나를 소개해 보려고 합니다.

**[히브리서 11장 1~3절(개역 개정판)]**

**1 믿음은 바라는 것들의 실상이요 보이지 않는 것들의 증거니**

**2 선진들이 이로써 증거를 얻었느니라**

**3 믿음으로 모든 세계가 하나님의 말씀으로 지어진 줄을 우리가 아나니 보이는 것은 나타난 것으로 말미암아 된 것이 아니니라**

이 성경 말씀의 의미는 믿음이라는 그 단어나 의미 자체를 분명하게 설명하고 있는 것입니다.
여러분들도 언젠가 보이지 않는 이 믿음의 힘을, 또 하나님의 살아계신 역사하심을 경험하시기를 바랍니다.

## 2. 진실로 답은 세상 안에 있다

여러분들은 이 세상이 밝게 유지되기 위한 희망이나 비전이 어디에 있다고 생각하시나요?
저는 아득한 무언가의 너머에 있다고 생각하지 않습니다.
저는 바로 이 세상 안에 답이 있다고 생각합니다.
예를 들면 우리에게 감동을 주는 영화 한편이나 학교에 가는 누군가의 자녀인 아들, 딸들의 뒷모습에서 볼 수도 있고 오늘 저녁을 준비하시는 어머니의 등 뒤에서도 볼 수 있고 인터넷에 뜨는 가난한 나라를 위해 후원과 모금을 하는 자선 단체들 에게도 있을 수 있다고 생각합니다.

세상 안의 답은 우리의 삶의 모습 그 자체입니다.

우리가 열심히 살아가는 모든 순간, 모든 과정, 모든 노력이 있는 한 언제나 저희가 필요한 답을 그 안에서 찾을 수 있다고 믿습니다.

희망을 잃어버리신 분이 있다면 제가 쓴 희망에세이 <당신에게 있는 희망을 발견하세요>를 한번 읽어 보시면 좋을 것 같습니다.

해당 책은 희망을 잃어버린 모든 사람에게 말하고 싶은 저의 생각을 책으로 정리한 에세이입니다.
어쩌면 그 책으로 인해 한 가지 이상의 희망을 발견하시는 계기가 될 수도 있을 것 같습니다.
해당 도서의 제목으로 인터넷에서 검색하신 후 목차를 보시고 필요하신 분은 구입을 하시면 좋을 것 같다는 생각을 해봅니다.(기독교적인 이야기는 나오지 않는 일반 에세이입니다)

## 3. 있는 그대로의 나를 보다

저는 이 책을 집필하며 있는 그대로의 저의 모습을 더욱 확실하게 보게 되었습니다.
그것은 바로 남을 돕는 것을 좋아한다는 것입니다.

저는 저의 선천적인 성격이 타인을 위해 무언가를 해주고 기뻐하는 모습을 보는 것을 즐긴다는 것을 확실하게 깨닫게 되었습니다.

저는 지금 제가 운영하는 채팅방에서 아직은 얼마 되지 않는 소수의 인원들과 채팅을 하며 그분들의 비전을 같이 공유하고, 또 제가 할 수 있는 조언을 최대한 하려고 노력하고 있습니다. (현재는 방장을 멤버에게 인수인계 하고 저는 그 채팅방에서 나오게 되었습니다)

이런 활동을 통해 저는 정말 상당한 보람과 열정의 해소를 느낍니다. 어떠면 저는 상담직이 더 어울리는 사람인지도 모르겠군요.(웃음)

또한 저는 제 본래 성격인 차분한 성격이 다시 살아나기 시작했습니다. 그것은 민간 자격증인 심리상담사

1급 준비를 하면서 얻은 좋은 교훈 때문이기도 합니다.
저는 병에 걸리기 전의 성격이 다시 나오는 이 순간이 너무나 반갑고 기쁘기도 합니다.
이 기분을 병이 발생한 지난 2014년도부터 바로 최근에까지 느끼지 못했다는 것이 조금 아쉽긴 하지만, 저는 그래도 조금이라도 예전의 모습을 갖게 된 것이 마냥 기쁘고 설레는 일이 아닐 수 없습니다.

그리고 조금은 어른스러워진 저의 모습을 있는 그대로 받아들이고자 노력하고 있습니다.

이 책을 쓰는 지금은 38살의 나이로 이제는 마흔(불혹)을 2년 앞두고 있기 때문일 수도 있는데요.

부모님께도 어리광 같은 분위기 대신 든든한 아들이 되기 위해서 노력하고 있습니다. 그러기 위해서는 제가 떳떳한 직업이 있어야 하지만, 일단은 공인작가가 되어 다른 사람들에게 조금이라도 희망과 용기, 그리고 제가 가진 조금의 지혜를 책으로라도 나눌 수 있다면 저는 만족합니다.

## 4. 나의 새로운 비전

저의 새로운 비전은 제가 앞의 목차에서 언급한 내용처럼 제가 지금 장기목표를 가지고 열심히 임하고 있는 시리즈 소설의 집필이 잘 되어서 출간 및 판매하는 것입니다.
기획부터 오타 검수, 작가 블로그 관리와 마케팅 및 영업 등을 제가 혼자 할 요량으로 생각하고 또 그렇게 하고 있기 때문에 비용적인 부담은 적은 편이긴 하지만, 사실 이 소설들을 제대로 집필할 수 있을지 약간의 걱정은 됩니다.

그러나 저는 한번 달려가 보려고 합니다.
제가 집필한 소설들이 한 권이라도 팔릴 수 있다면 저는 계속해서 정진해 볼 생각입니다.

제 작품에 관심이 있으신 분이라면 새로 블로그에서 소개하는 출간 소식이나 블로그 주소를 지인에게 소개 또는 공유해 주시면 매우 감사하겠습니다.

작가 블로그 주소는 책의 마지막에 기술해 놓았습니다.

## 5. 하나님은 우리를 버리지 않는다

저는 모든 사람들의 행위를 하나님께서 다 보고 계신다고 생각하는 기독교인이기도 합니다.
그래서인지 이 목차의 제목처럼 생각하기도 하고, 실제로 버리지 않는다는 것을 느낀 사례도 있습니다.

그것은 바로 제가 조현병에 걸렸음에도 공인 작가로서 잘 활동을 이어 나갈 수 있게 해주신 은혜라고 생각합니다.

하나님은 우리를 버리지 않습니다. 어느 순간이 될 때까지 지켜보시다가 결정적 순간에 가장 필요한 것을 가장 알맞게 제공해 주시고는 합니다.

그것이 사람이든, 물질적 축복이든, 깨달음의 순간이든 간에 하나님께서는 항상 예비하신 것들로 우리에게 채워주시는 것 같습니다.

만약 지금 이 책을 보고 계신 분이 기독교인이시라면 위의 내용과 같이 믿음으로 구하여 보시기를 바라고 또한 기도에 응답이 있기를 진심으로 소망합니다.

## 6. 악인도 알맞게 쓰시는 하나님

제가 공인 작가가 된 것은 한순간에 된 것이 아니지만, 아이러니하게도 그 시작점은 아마도 조현병이 발병한 순간이 아닌가 싶습니다.

이미 여러 번 제 저서에서 밝힌 바와 같이 저는 어느 스타트업에서 일을 하다가 낯설고 무서운 환경에서 조현병이 발병하고 맙니다.

그러나 조현병이 발생한 저는 오히려 병의 진행 과정과 다른 조현병 환우에게 도움이 될 만한 것들을 기록해 보자는 생각으로 처음에 집필을 시작하게 되었습니다.

저는 오히려 조현병에 걸리게 만든 장본인인 그 스타트업의 대표에게 약간의 고마움마저 느끼려고 합니다. 왜냐하면 작가가 제 적성에 매우 잘 맞았고, 조현병이라는 소재로 8권(합본 도서 포함)의 책을 써낼 수 있었기 때문입니다.

그분이 악인이라는 사실에는 분명히 동의를 하지만, 제가 작가가 되는 계기를 마련한 것도 확실합니다.

이처럼 세상에는 악인들이 많다고 생각합니다. 그러나 하나님께서는 악인도 알맞게 사용하시는 줄로 믿습니다.
아래는 그와 관련된 성경 구절입니다.

**[잠언 16장 4절(개역 개정판)]**

**여호와께서 온갖 것을 그 쓰임에 적당하게 지으셨나니 악인도 악한 날에 적당하게 하셨느니라**

세상에는 우리가 흔히 말하는 악인들도 많은 것이 사실입니다. 그러나 하나님의 말씀을 보고 듣는 우리(기독교인)는 이러한 말씀을 보고 그 말씀을 믿는 것 또한 필요하다고 생각합니다.

성경이 읽기 어렵다면 잠언을 보시면 좋을 것 같다는 생각도 해봅니다. 잠언에는 인생의 지혜가 가득 담겨 있기 때문입니다.

저도 성경 통독을 위해 노력하고 있습니다. 여러분도 한번 관심이 있는 부분이라도 성경을 읽어 보시는 게 어떨까 합니다.

# 7. 감사한 사람들

저는 조현병 급성기 때는 정말 심각한 망상과 두려움을 가지고 살았습니다. 그러나 주위에서 도움의 손길이 있었는데요.
가장 많이 도움을 주셨던 분은 아버지의 지인이셨습니다. 당시엔 저희 집안 사정이 좋지 않았는데 제가 병원에 입원해 있을 때 병원비(한달 150만원) 감당이 도저히 안되는 상황에 놓여 부모님의 걱정이 최고조에 달했을 때, 한 줄기 희망이었던 '기초수급자'제도의 존재 자체에 대해 알려주시고 신청 서류까지 동행하며 서류 준비까지 도와주신 것입니다.

그때는 정말 제가 지금 다시 생각해도 증세가 너무 심했었는데, 매달 나오는 병원비를 의료수급자가 되어 병원비의 대부분을 해결할 수 있었습니다.

그리고 입원할 병원을 수소문 할 때 친척 동생(간호사)의 도움을 받기도 했습니다. 그것은 괜찮은 정신병원을 알려달라는 부모님의 다급한 부탁이 있었기 때문입니다.

그리고 제 저서에서 몇 번 언급했지만 제 남동생에게

도 감사함을 많이 느낍니다.
왜냐하면 제가 급성기 때에 저질렀던 대출 등을 동생이 대신 갚아주었기 때문입니다.

이처럼 주변인들이나 친척, 가족의 많은 도움이 없었다면 제가 지금처럼 작가가 되지 못했을 것 같다는 생각이 듭니다.

또 한 명의 고마운 사람은 제 중학교 동창입니다.
누구인지는 밝히지 않아도 제 병을 많이 이해해 주려고 노력하고 지금도 연락을 하며 친하게 지내는 정말 몇 없는 제 곁에 남은 친구입니다.
사실 급성기에서 조금의 안정기로 가고 있을 때 저의 증상을 본 많은 친구들이 제 곁을 떠났지만, 그 친구를 비롯한 몇 명의 친구가 제가 위안이 되어 주었다는 것은 정말로 확실한 것 같습니다.

## 8. 소중하고 아름다운 모든 것들

이 책을 읽고 계신 여러분께 저는 세상에는 소중하고 아름다운 것들이 저희가 생각하는 것 보다는 많다는 말씀을 드리고 싶습니다.
성경에서 말하는 믿음, 소망, 사랑 같은 가치들은 언제나 그대로 변하지 않고 저희의 곁에 있다고 생각합니다.

어떤 분에게는 부모님이나 가족, 어떤 분에게는 지인이나 이웃, 또 다른 분들에게는 그분들만의 소중한 것들과 아름답다고 생각하는 것이 있을 것입니다.

저는 지금 몇 가지 단어를 생각해 봅니다.
약속과 헌신, 종교적 믿음이나 신념, 그리고 개개인의 가치관과 개성 또한 중요할 것 같습니다.

저는 이 세상이 완벽하지는 않아도 평범함 속에 있는 소중하고 아름다운 것들을 발견하실 수 있기를 바랍니다.
그리고 이 책을 읽고 계신 여러분이 기독교에서 말하는 복, 또는 세상이 말하는 복을 넘치도록 받으시기를 진심으로 바랍니다.

## 9. 하나님의 자비하심

하나님께서는 제 병이 상당 부분 호전되어서 글을 쓸 수 있을 정도까지 회복될 수 있게 허락하셨습니다.

하나님은 정말 자비로운 분이라고 생각이 듭니다.

제가 일상생활을 하며 작가가 되도록 허락하시고, 제가 꿈꾸는 미래를 포기하지 않는 용기를 주셨습니다.

오래 참으시며 끝없는 사랑으로 우리에게 일용할 양식을 공급해 주시고 하루를 사는 평범한 일상 속의 감사함을 느끼게 하심을 감사 드립니다.

그래서 저는 기독교라는 종교를 믿는 사람과 그렇지 않은 사람들도 충분한 하나님의 자비하심을 언제나 찾고 경험하며 느낄 수 있다면 좋겠습니다.

이 책을 읽고 계신 모든 분께 하나님이 베푸시는 자비를 느끼기를 항상 바라며 기도하고 있겠습니다.

## 10. 천국은 지금 여러분 앞에 있다

저는 천국이 이상과 상상, 또는 다른 세계 및 사후 세계에만 존재한다고 생각하지는 않습니다.

제가 말씀드리고 싶은 것은 천국은 지금 여러분 앞에 있다는 것입니다.

좋아하는 음악을 들었을 때, 오래 준비하고 갈망하던 여행을 가거나 계획을 세울 때, 아니면 가정의 화목한 분위기를 온몸으로 느낄 때, 심지어 그냥 거리를 걷는 일에도 특별한 사건이 없는 이 평범한 모든 순간을 즐기고 있는 그 자리가 바로 현실에서의 천국이라고 생각합니다.

천국을 너무 막연한 상상 속 존재로만 생각하지 마시고 인생의 재미를 발견하시면서 그것들을 하는 모든 순간이 이미 천국이라고 생각하셨으면 합니다.

우리가 하고 싶은 무언가를 향해 아주 조금씩이라도 전진하는 모든 순간이 소중한 현실의 천국이 아닌가 생각을 해봅니다.

# Part 4 - 예수님을 닮아가는 삶이란

기독교인이라면 예수님의 말씀이나
가르침을 많이 들어 보셨을 것입니다.

이번 파트에서는 어떻게 하면 예수님을
닮아가는 사람이 될 수 있을지 한번
저의 생각이 많이 들어간 목차들로
준비해 보았습니다.

혹시 동의하지 않으시는 항목도 있을 수
있지만 제 생각을 과감히 말씀드려
보겠습니다.

# 1. 스스로가 떳떳할 수 있게

많은 사람이 마음속에 아마도 저마다의 기준과 양심을 가지고 살아가리라 생각이 듭니다.
저는 기독교인이므로 그 양심을 종교적인 관점으로 볼 때도 있습니다. 예를 들면 기독교인은 세상 사람들에게 모범이 되면 좋겠다는 생각을 많이 합니다.
저는 이번 목차 그대로 스스로가 떳떳할 수 있게 살려고 노력하고 있고, 그 중 하나의 실천으로 아무리 화가 많이 나도 저속한 단어나 욕을 쓰지 않으려 노력하고 있습니다.

이미 나이가 책을 쓰고 있는 현재 기준으로 38살이어서 불혹을 2년 남겨두고 있는데요, 그렇기 때문인지 '조금 어른스럽게 행동하고 나잇값을 하자'라는 생각 또한 합니다.

그러나 무엇보다도 신앙을 가진 자로서 교회의 이름이나 예수님에 얼굴에 먹칠을 하는 행동은 하지 않으려고 가장 노력한다고 볼 수 있습니다.
예를 들면 다른 사람을 위해 베풀고 나누어 주며 응원과 희망을 전달하는 소명 또한 가지고 있습니다.

그러나 아직 까지 가장 안되는 것이 금연인데 기독교인으로서 많이 부끄러운 마음이 듭니다.

저는 선천적으로 남을 위해서 뭔가를 도와드리거나 해주고 그분이 도움이 되었거나 기뻐하는 모습에서 많은 인생의 보람을 느낍니다.

그래서 이 책도 어떤 사람들에게는 어떤 식으로든 도움이 될 것이라 생각하고 또 도움이 된다고 생각하면 많이 기쁘기도 합니다.

또한 성경 적인 가르침(예수님의 가르침)을 항상 잊지 않고 살려고 노력하고 있습니다.

이 책을 보시는 여러분도 멋진 자신만의 삶의 기준을 세워 보시는 것은 어떨까 합니다.

## 2. 저는 역시 크리스찬 입니다

저는 최근에 제가 다니는 교회의 '특별 새벽 기도'에 어머니와 함께 예배를 드리러 간 적이 있습니다.

그런데 이게 웬일입니까, 교회 코앞의 횡단보도에서 신호를 대기하던 중에 눈물이 핑 도는 것이었습니다.

그 이유는 아마 예배의 갈급함이 증상 때문에 교회를 나가지 못했던 시간만큼 있어서 그런 것 같습니다. 그래서 제가 그 날 교회에 가서 예배 시작 전에 하는 찬양을 듣고 눈가가 촉촉해 졌는지도 모릅니다.

그리고 담임목사님의 훌륭하시고 좋은 설교 말씀을 들을 때는 많은 깨달음을 얻기도 했습니다.

마지막으로 새벽기도를 할 때는 정말 수많은 눈물이 났습니다. 하나님께서 저를 감동 시키신 듯 열심히 기도하였습니다. 저희 가정과 대한민국, 그리고 교회와 더 나아가 이 지구의 모든 힘든 이들을 위해 기도하였습니다.

저는 그것이 바로 제가 확실한 크리스찬임을 다시 느

끼는 계기가 되었다고 생각합니다.

앞으로 증상이 조금 더 회복이 되고 일상이 더 많이 돌아오게 되면 그동안 나가지 못했던 일요일(주일) 예배도 참석하고 싶습니다.

혹시 이 책을 보시는 여러 분들 중에서 크리스찬이신 분이 계시다면 새벽기도를 한번 쯤은 경험해 보시는 것을 추천해 드립니다.

## 3. 저는 이렇게 전도하고 싶어요

저는 전도를 하는 것이 기독교의 소망인 것을 잘 알고 있고 어릴 적부터 교회에 다닌 이유로 실제로 많은 기독교인들이 전도에 사명감을 가지고 전도하려 애쓰는 모습을 보았습니다.

하지만 저는 이렇게 전도하고 싶습니다.
예를 들면 "저 사람은 정말 예수님의 가르침대로 살고 있구나, 배울 점이 많구나, 따뜻하구나, 그리고 타인을 위해서 배려하고 응원하는 마음으로 노력하는구나"라는 것이 제가 굳이 말하지 않아도 느껴질 수 있도록 하고 싶습니다.

한마디로 기독교인으로서의 품위를 지키고, 제 삶의 자세와 실제로 하는 행동에서 기독교에 대한 호감이나 긍정적 평가가 되도록 하고 싶은 것입니다.

저는 오늘도 그 목표를 향해 열심히 달려가고 있습니다. 저는 이 목표가 꽤 괜찮은 목표라고 생각합니다.

저는 전도를 거창한 것으로 보고 있지 않습니다.
적어도 비기독교인이 보기에 좋은 모습을 보이면 된

다고 생각을 해봅니다.

혹시 기독교인이신 분들에게 이 책이 도움이 되기를 바라고, 일반인이시라면 "아 교회는 나쁜 곳이 아니구나" 라고 느끼실 수 있으면 좋겠습니다.

그리고 저는 거리와 각 지역에서 전도 활동을 하시거나 선교 및 마음으로 섬기고 더 따뜻한 세상을 위해 후원이나 봉사 활동을 하시는 모든 분들을 존경하고 있습니다.

그 외에도 보이지 않는 기도로 저희 나라와 세계 열방을 향해 중보(타인을 위해 기도하는 것)하고 계시는 분들을 응원하는 마음입니다.

## 4. 욕심 버리기 연습

저는 원래 욕심이 많은 사람이었습니다. 한때는 사업으로 큰 돈을 벌고 싶기도 했습니다. 이유는 저희 집안 경제가 좋지 못한 적이 많았기 때문입니다.
또 고생하시는 부모님을 안정된 생활을 통해 기쁨을 느끼게 해드리고 싶은 마음과, 개인적인 출세의 욕심 또한 있었습니다.

어떻게 보면 저는 욕심으로 똘똘 뭉쳐진 사람이었던 것 같습니다.

그러나 아픈 뒤에 깨달은 평범하고 소중한 것은 바로 지금의 일상이라는 점이 제게 욕심을 내려놓게 하였습니다.

모든 욕심이 나쁜 것만은 아닙니다. 그러나 저는 작가로서 글을 쓰면서 현실에 맞지 않거나 너무 무리한 욕심은 이제 내려놓는 방법을 찾은 듯합니다.

저는 제가 할 수 있고 보람을 느끼는 일을 하는 것만으로도 어느 정도의 행복을 느끼기도 합니다.

지금은 저와 같은 조현병 환우들에게 희망을 주는 일을 한다고 생각하고 있고, 실제로 도움이 되었다는 소식이 가장 기쁘기도 합니다.

여러분들도 실천이 가능하지 않은 영역의 욕심을 가지고 너무 허황된 것을 탐하는 자세는 조금 내려 놓으시는 것은 어떨까 생각해 봅니다.

## 5. 예수님은 우리 안에 살아 계십니다

이번 목차를 보신 분은 아마 어려운 주제일 수도 있다고 생각하실 것 같습니다.
그러나 저는 우리 안에 예수님이 살아 계신다고 생각을 합니다. 그 이유는 우리가 태어날 때부터 가지고 있는 선한 마음과 양심이라는 것들 때문입니다.

저는 모든 사람은 선한 마음을 가지고 태어난다고 생각합니다. 갓난 아기들을 보면 그것을 알 수 있는데요. 한없이 방긋 방긋 웃는 모습에서는 어떠한 악도 느껴지지 않는 듯 합니다.
또한 사람마다 가지고 있는 양심이라는 것은 우리에게 큰 작용을 하는 것 같습니다. 예를 들어 길에 떨어진 지갑을 보고 그 주인에게 돌려주는 일 등이 대표적인 양심과 선함의 작용으로 생각이 됩니다.

마지막으로 한 가지를 더 이야기 해보고 싶습니다. 그것은 우리나라에 특히 강한 예의라는 관습인데요. 혹시 지나가는 나이가 많으신 어른들의 짐을 잠깐이라도 들어준 적이 있거나 그런 광경을 보신 분도 있을 것입니다.

저는 예수님이 저희 안에 계신다는 것의 의미가 꼭 기독교에서 말하는 은사나 성령의 임재하심 뿐만 아니라 생활 속에서 선한 일을 행하고 양심에 맞게 행동하며 예의를 지키는 일에도 나타난다고 생각을 합니다.

예수님은 인간의 죄를 씻기 위해서 십자가에 매달리시고 또 죽음을 이기시고 부활하신 하나님의 아들이시며, 영원한 기독교인의 롤모델이기도 한 것 같습니다.

그러나 우리가 생각해야 할 것은 우리가 말씀을 마음 속으로 지니고 예수님을 닮아가는 삶을 살기로 생각하고 실천하는 모든 순간에 예수님이 우리 안에 이미 계신다고 믿어 보는 것도 좋을 것 같습니다.

## 6. 세상에 있는 모든 증오가 사라지길

저는 이 세상에 있는 모든 증오들이 사라지고 비록 완벽한 천국 또는 지상낙원의 모습이 아닐지라도 서로 존중하고 아끼며 이웃을 사랑하고 어려운 사람을 도울 수 있는 사회가 되기를 기도하곤 합니다.

특히나 전쟁 같은 너무나 참혹한 일들이 어서 그치고 그런 전쟁을 겪은 나라들이 재건되는 것을 바라고 있습니다.

그리고 조금 더 가까운 모습에서 증오가 사라지길 원하는 것은 바로 우리 나라 대한민국의 의견이나 단합을 저해하는 프레임과 색깔론, 성별 또는 정치적 갈라치기, 지역감정과 세대 갈등 등이 하루빨리 서로의 대립을 끝내고 상호 간에 포용할 수 있는 멋지고 아름다운 사회가 되기를 소망해 봅니다.

그렇게 된다면 대한민국이라는 나라는 정말 많은 발전을 할 수 있는 잠재력이 충분하다고 생각합니다.
여러분들도 저와 같은 소망이 있다면 소망을 가지고 간단하게라도 증오가 사라지기를 위한 기도를 하시면 좋겠습니다.

## 7. 희망의 돛을 달고

우리는 어떠면 힘든 현실과 인생의 쓴맛 속에서 희망이라는 단어를 마음속 깊숙한 곳에 넣어 두었는지도 모릅니다.

혹시 그렇다고 생각되시는 분이 있으시다면 제가 쓴 희망 에세이인 <당신에게 있는 희망을 발견하세요>를 읽어보시는 것도 조금은 도움이 되지 않을까 하는 생각이 듭니다.

그러나 이 책에서도 조금의 희망을 보셨다면 그 희망의 불씨를 계속 살리는 노력을 하신다면 반드시 희망의 미래로 가실 수 있을 것이라는 생각을 감히 해봅니다.

여러분이 각자 소망하는 것들에 대한 희망을 이제 꺼내는 연습을 하시기를 바라면서 이제 책의 말미를 장식할 축복기도문을 쓰려고 합니다.

이번에는 종교가 없으신 분도 수긍하실 만한 내용으로 써 보겠습니다. 이 책을 봐주시는 모든 분께 감사드립니다.

## 8. 축복기도문

주님, 이 책을 보는 모든 사람이 각자의 희망을 볼 수 있고 다시 꺼낼 수 있도록 도와주시기를 바랍니다.

희망을 잃어버린 자에게는 희망을,
신앙을 잃어버린 자에게는 강한 믿음과 기도 응답을,
믿지 않는 자에게는 세상의 축복을,
용기가 필요한 자에게는 용기를,
마음을 다친 자에게는 위로를,
주님을 찾고자 하는 자에게는 성령의 역사를,
꿈을 잃어버린 자에게는 비전을,
아픈 자에게는 낫게 되는 은혜를,
절망에 빠진 자에게는 용기와 힘을,
시험을 앞둔 자에게는 합격을,
걱정이 많은 자에게는 평안함을,
우울한 병을 가진 자에게는 즐거움을,
정신적인 문제를 가지고 있는 자와 육체적 질병을 가진 자에게는 회복과 기적을 경험하도록 하시고,
그로 인해 하나님이 영광을 받으실 줄로 굳게 믿고 기도합니다.
예수님의 이름으로 기도드립니다. 아멘.

## 맺는말

이제 드디어 이 책의 마지막인 맺는말을 남겨놓고 있습니다. 이 책은 기독교 에세이면서도 일반인이 읽으셔도 부담 없도록 집필하려고 제 나름대로 많은 공을 들인 책입니다.
저는 이 맺는말 안에서 다시 한 번 되물어 보고 싶은 것이 있습니다. 과연 이 책이 하나님이 주신 감동으로 쓰였는가 스스로에게 물어보는 것입니다.
그러나 아직은 잘 모르겠습니다. 영적으로 굳건한 믿음을 지닌 어머니와는 다르게 저는 조금은 세상적인 면도 가지고 있기도 하고, 예배에 잘 참여를 못하는 상황이라 엉터리 기독교 신자일 수도 있겠습니다.
그러나 한 명의 노력하는 작가로서 제가 태어날 때부터 38살의 나이까지 경험한 기독교적인 관점에서의 책이 완성이 되었다는 것에 많은 기쁨을 느낍니다.
이 책이 단 한 명의 기독교 신자에게라도 신앙적으로 도움이 되거나 일반인들이 보기에 부담 없는 책이 되었다면 저는 만족합니다.
마지막으로 다시 한번 이런 책을 쓸 수 있는 지혜를 허락해 주신 하나님 아버지께 모든 영광을 올려 드립니다.
이 책을 구매하시거나 끝까지 봐주셔서 감사합니다.

그럼 마지막으로 제가 이 책에서 소개하고 싶은 성경 말씀을 적어 보려고 합니다.

[민수기 6장 24~26절(개역 개정판)]

**24 여호와는 네게 복을 주시고 너를 지키시기를 원하며**
**25 여호와는 그의 얼굴을 네게 비추사 은혜 베푸시기를 원하며**
**26 여호와는 그 얼굴을 네게로 향하여 드사 평강 주시기를 원하노라 할지니라 하라**

하나님의 살아계신 역사와 함께 하시기를 기도합니다.

**프레이 작가의 글방(네이버 블로그):**

https://blog.naver.com/praydream87